Lire
à 3 ans
c'est tout naturel

à Julie
Chloé
Quentin
Alice
Margaux
Marie
Rémi, mes petits-enfants

pour la joie qu'ils m'ont donnée à les accompagner dans leur découverte de l'écrit, et celle que me donnera encore Rémi (2 ans).

« Le verbe "lire" ne supporte pas l'impératif. Aversion qu'il partage avec quelques autres : le verbe "aimer"... et le verbe "rêver" »...

Daniel Pennac

Direction éditoriale : Céline Charvet
Coordination éditoriale : Astrid Desbordes
Conception graphique : Laurence Ningre et Jean-François Saada

Lire

**Françoise
Boulanger**

à 3 ans

c'est tout naturel

SOMMAIRE

AVANT-PROPOS

Les capacités du jeune enfant sont vantées partout et prouvées par des études scientifiques qui décrivent comment il réfléchit inconsciemment sur le monde qui l'entoure depuis qu'il est né. À présent, l'apprentissage des langues étrangères, des mathématiques, l'usage de l'ordinateur ont été adaptés à son développement. Mais pas la lecture. Le langage écrit demeure un sujet tabou avant 6 ans. Sans doute parce qu'on n'imagine pas une seconde que le tout jeune enfant puisse commencer à apprendre à lire comme il a appris à parler, de manière très naturelle et pour son plus grand plaisir.

Par ailleurs, les statistiques concernant l'apprentissage de la lecture ne s'améliorent pas, et l'école primaire laisse trop d'enfants sur le bord du chemin. L'inquiétude des parents est légitime, d'autant plus que les enseignants – leur dévouement n'est pas en cause – ne sont pas bien formés aux processus d'apprentissage de la lecture. La recherche a progressé depuis une vingtaine d'années, mais les « spécialistes » ne s'entendent pas sur le choix des méthodes.

Et si ce n'était pas une question de méthode ?

Le Haut Conseil de l'éducation fait remarquer justement dans son rapport de 2007 que « l'école maternelle ne met pas tous les enfants dans les conditions de réussir à l'école élémentaire » et que « les élèves qui sont en difficulté dès leur entrée au CP le sont toujours, dans leur quasi-totalité, par la suite ».

Pourtant, l'école maternelle propose de plus en plus d'exercices destinés à préparer l'apprentissage de la lecture. Malheureusement, certains, issus de théories non vérifiées ou mal interprétées, embrouillent les enfants qui auraient le plus besoin d'être aidés. Ce livre vous permettra d'en prendre conscience et de veiller à ce que les bases indispensables soient acquises et la réussite du CP assurée. Il donne cependant la possibilité au petit curieux de devenir autonome au rythme de son appétit d'apprendre.

Chacun sait que, pour apprendre à lire efficacement, il faut avoir compris que *b + a = ba*. Contrairement à ce que pensent la plupart des parents, ce n'est pas chose facile pour l'enfant s'il ne possède pas les éléments qui lui permettent de le comprendre : on confond simplicité et facilité. Tout un cheminement est nécessaire afin que l'enfant puisse y parvenir. C'est ce cheminement que j'étudie depuis plus de trente ans sur le terrain et qui me passionne. J'ai analysé ce que l'enfant fait spontanément avec beaucoup de facilité, sa manière naturelle de fonctionner, et mets à sa disposition ce dont il a besoin pour apprendre à lire le plus facilement possible.

La démarche proposée dans ce livre permet à l'enfant de prendre tout son temps pour apprendre, d'utiliser son intelligence et sa créativité naturelle, ses stratégies personnelles, au lieu d'être enfermé dans le carcan d'une méthode qui lui impose une progression prédéterminée et ne lui permet pas d'apprendre par lui-même.

Le première édition (1992), qui avait conquis des milliers de familles (j'en ai suivi des centaines pendant plusieurs années et reçois actuellement des nouvelles des petits-enfants qui suivent le même chemin) et de professionnels, a été revue et augmentée pour une nouvelle génération de parents.

En mettant le monde de l'écrit à la portée du petit enfant, on lui ouvre un nouvel horizon qui lui procure une grande joie. Une fois l'horizon ouvert, on reste à son écoute... et on accompagne.

Je vous souhaite beaucoup de bonheur à accompagner votre enfant dans sa conquête de la lecture.

Juin 2008.

INTRODUCTION

Je regarde François, notre dernier fils, qui rit en lisant son histoire, à plat ventre sur son lit. Jusque-là, rien d'exceptionnel, si ce n'est que François a tout juste 5 ans.

Son bonheur est évident et je savoure le mien. J'ai conscience de lui avoir permis d'entrer dans ce monde merveilleux qu'est la communication écrite. Le monde d'hier et d'aujourd'hui est dorénavant à sa portée. Pour le moment, ce sont les Indiens qui le passionnent. D'ailleurs, c'est avec *Oukala, le petit Indien*, qu'il a vraiment compris qu'il savait lire.

Je l'ai aidé à lire de la même manière que je l'ai aidé à faire du vélo sans roulettes. Déjà je ne tiens plus la selle, il est parti. Je suis très heureuse, mais un peu triste aussi, parce que c'est fini. Il sait... Tout au plus pourrai-je l'aider à décortiquer un mot compliqué ou lui expliquer ce que veut dire « bimensuel » ou « oripeaux ». Mais j'ai un pincement au cœur, parce que je ne pourrai plus l'observer, suivre sa découverte de tel ou tel « son », l'accompagner dans sa progression tantôt très rapide, tantôt insensible. Or c'était passionnant.

Je n'ai plus que ma mémoire pour revoir le moment où, assis sur mes genoux, il lit pour la première fois un mot qu'il n'a jamais vu. Après l'avoir lu, il prend tout à coup conscience de l'exploit et se retourne vers moi avec des yeux où se mêlent interrogation et jubilation. Il attend ma réaction. J'approuve... et notre joie éclate.

Cette joyeuse complicité, pleine d'affection, dans la conquête de la lecture, je voudrais que tous les parents la connaissent. C'est l'objet de ce livre qui reflète certes l'expérience acquise avec mes propres enfants et petits-enfants, mais surtout avec les enfants des parents qui m'ont fait confiance, expérience confrontée aux recherches menées par des linguistes, pédagogues et psychologues, en France et à l'étranger.

Les anecdotes rapportées sont celles que m'ont relatées les centaines de parents qui ont suivi le stage au cours duquel je les ai aidés à guider leurs enfants dans la découverte de l'écrit. Les séances avec les parents ayant été enregistrées, j'ai eu beaucoup de mal à faire une sélection parmi tous ces petits faits qui viennent éclairer mon propos, car ils témoignent tous de l'immense créativité du tout jeune enfant. Après la première parution de cet ouvrage, ce stage s'est converti peu à peu en séminaire d'une journée.

Dans l'esprit des gens, « apprendre à lire » est toujours associé à « méthode, travail scolaire, difficulté », alors que, pour nous, cela ne peut être associé qu'à « joie de la découverte, plaisir, jeu » en complicité avec toute personne proche de l'enfant.

Si, pour lui, apprendre à lire est toujours une activité passionnante, il aimera lire, qu'il mette six mois ou trois ans à devenir autonome. En revanche, un apprentissage laborieux et systématique peut le détourner du plaisir de lire.

Pour donner à l'enfant le goût de la lecture, lui lire des histoires est essentiel, mais ne suffit pas. Il faut aussi lui fournir les moyens de maîtriser l'outil à son rythme. Or l'école, à elle seule, ne peut pas toujours le faire, et l'échec à 6 ans m'est intolérable.

Une précision : ma démarche avec mes enfants ne s'est pas située par rapport à l'école. Je n'ai pas aidé mes enfants à apprendre à lire très tôt pour qu'ils soient premiers en CP (première année de l'enseignement élémentaire) – je n'y pensais même pas –, mais tout simplement parce que cela m'amusait.

J'ai pu constater peu à peu qu'ils en avaient la possibilité et qu'ils se passionnaient. Et si cela a facilité leur scolarité, c'est tout simplement parce que la réussite crée la motivation et non l'inverse.

Le but de ce livre est de convaincre le lecteur que :

• tous les jeunes enfants commencent à apprendre à lire aussi naturellement qu'ils ont appris à parler, si on leur en donne l'occasion ;

• les effets en sont toujours positifs ;

• apprendre à lire est l'affaire de tous : parents, famille, enseignants et, en cas de besoins particuliers, orthophonistes, instituteurs et éducateurs spécialisés, familles d'accueil... ;

• chaque enfant est unique : il faut lui permettre d'apprendre à sa manière et l'y aider ;

• le jeune enfant n'a pas besoin d'enseignement formel pour commencer à apprendre à lire, mais de l'interaction chaleureuse et positive avec l'adulte.

La recherche scientifique a décrit les stades naturels – et incontournables – du processus d'acquisition de la lecture. Dans ce livre, ils sont vécus par les jeunes enfants.

1. Reconnaissance *logographique* par repères visuels uniquement (surtout décrite dans les pages 47 à 77).

2. Cette reconnaissance graphique se double de premiers repères lettres-sons : stade *grapho-phonologique* (pages 76-91, 101-118 et 132-147).

3. Début de la reconnaissance *orthographique* (celle des lecteurs : pages 148-155), parallèlement au stade précédent utilisé pour déchiffrer, le premier stade ayant disparu.

Le « jargon » utilisé ci-dessus est destiné surtout aux professionnels. Que les profanes se rassurent : le reste de l'ouvrage en est dépourvu, celui-ci leur étant particulièrement destiné !

PREMIÈRE PARTIE

La joie d'apprendre à lire

1. Qu'est-ce que lire ?

La question n'est pas aussi simple qu'on pourrait le croire. Et les réponses varient selon les spécialistes consultés : linguistes, pédagogues, psychologues.

Pour Maria Montessori, lire c'est « recevoir l'idée transmise par des mots écrits ». Cette définition me convient.

Une bonne compréhension va de pair avec une lecture aisée. Le déchiffreur ne perçoit que des lettres ou des syllabes qui l'empêchent de comprendre le texte qu'il a sous les yeux. On peut affirmer aujourd'hui, d'après des études scientifiques, que devenir bon lecteur implique deux compétences principales : d'une part, reconnaître et comprendre instantanément les mots et, d'autre part, analyser un mot inconnu pour le décoder. Dès lors, il me paraît important de développer également ces deux habiletés au cours de l'apprentissage de la lecture.

La loi d'apprentissage élaborée par Britt-Mari Barth, professeur à l'Institut supérieur de pédagogie, devrait faire réfléchir tous ceux qui ont la responsabilité de l'apprentissage de la lecture : « Pour assurer un apprentissage conceptuel, la méthode d'enseignement choisie doit nécessairement impliquer, chez l'apprenant, les deux modes de traitement de l'information dont il dispose (le mode analytique, linéaire, et le mode global, instantané) en même temps, par un processus de quasi-"alternance simultanée", c'est-à-dire où les deux phases se succèdent de façon très rapprochée dans le temps[1]. »

Dans la grande majorité des cas, on enseigne aux enfants les correspondances entre les lettres (graphèmes) et les sons (phonèmes) dans le but de leur apprendre à lire. Nous voulons montrer comment les très jeunes enfants peuvent mémoriser visuellement tous les mots qui les intéressent et découvrir les correspondances grapho-phonémiques*[2] à partir de ceux-ci.

1. Britt-Mari Barth, *L'Apprentissage de l'abstraction*, Retz, 1987.
2. Les mots suivis d'un astérisque font l'objet d'une définition dans le lexique, p. 245.

2. Notre démarche

À l'origine : mes enfants

L ors de la première édition de cet ouvrage, ils ont 27, 25 et 18 ans. Ayant appris à lire avec moi, de manière naturelle et détendue, dans la joie de la découverte et du jeu, ils sont à l'origine de ma recherche sur l'apprentissage de la lecture. En fait, ils ne se souviennent pas avoir appris à lire.

J'avais l'habitude de laisser François qui devait avoir à peine 5 ans à la bibliothèque municipale, le temps de faire quelques courses. C'était une garderie en or : il adorait y aller et j'étais sûre qu'il ne se sauverait pas ; d'ailleurs, à son goût, je venais toujours le rechercher trop tôt. Un jour, la bibliothécaire, s'étant aperçue qu'il lisait effectivement, lui a demandé qui lui avait appris à lire. Il a répondu simplement : « Je savais dans ma tête ! »

Un enfant qui apprend à parler ne sait pas qu'il apprend : il parle ! De même, un enfant qui apprend à lire de la manière naturelle qui fut la nôtre, et qui est celle des parents qui me font confiance, ne sait pas qu'il apprend à lire : il lit !

Cette belle aventure a commencé début 1968. J'étais tombée sur un petit livre américain[3], qui affirmait qu'il n'est pas plus difficile pour le cerveau de comprendre un message par la vue que par l'ouïe et qu'en conséquence tous les enfants peuvent apprendre à lire dès leur plus jeune âge. Intellectuellement, cette idée m'avait plu. Ce qui m'avait plu encore davantage, c'est que le livre parlait de joie et de plaisir d'apprendre.

J'ai donc voulu tenter l'expérience avec Vincent, qui avait un peu plus de 2 ans. Il me faut préciser tout de suite que je n'ai repris dans cette méthode que l'idée de la joie et des mots isolés, car elle me paraissait beaucoup trop rigide et systématique. En ayant donc

---

3. Glenn Doman, *Apprenez à lire à votre bébé*, Plon, 1965.

retenu ces deux éléments, j'ai été stupéfaite – c'est bien le mot – de constater que non seulement Vincent absorbait quantité de mots (*Vincent, papa, maman, nounours, avion, gâteau, vélo...*), mais qu'il prenait un immense plaisir à les reconnaître. Très vite, il a su en identifier une quarantaine.

Nous avons pourtant tout arrêté, à cause d'un déménagement inopiné... et aussi parce que je ne voyais pas comment il pourrait vraiment apprendre à lire de cette manière. C'est l'enfant qui est revenu à la charge quelques semaines plus tard. Il s'est mis à nous montrer des étiquettes à table, à nous demander ce qui était écrit ici et là.

Je répondais toujours à sa curiosité naturelle et il commençait à trouver des analogies entre les mots. Je me souviens de la toute première ; il avait pointé son petit doigt sur le début de Viandox® en me disant tout fier : « Vincent, là ! » Je l'avais félicité en lui montrant qu'effectivement ça commençait pareil, mais qu'ensuite c'était différent et que c'était *Viandox*. Encouragé, il a continué à comparer les mots et je profitai de ses découvertes pour lui donner d'autres mots qui l'intéressaient et pouvaient le faire progresser. C'était devenu un dialogue entre nous, avec des périodes de latence et de grandes découvertes. Je répondais simplement à la demande. Simultanément, bien sûr, je lui lisais des histoires : il adorait *Pomme d'api*.

Vers 5 ans, il a découvert le « système » et a commencé à lire des mots qu'il n'avait jamais vus. Il savait lire en entrant au CP, mais pas couramment.

Je n'ai pu être aussi disponible pour mon deuxième enfant, Sophie, pour des raisons personnelles. Elle avait besoin de manipuler davantage que son frère et était moins questionneuse que lui. Mais elle nous demandait continuellement de lire des histoires. Elle s'est passionnée pour la machine à écrire, qui a constitué pour elle le principal support d'apprentissage. Elle lisait moins bien que son frère au CP, mais beaucoup mieux que les enfants de son âge.

L'expérience positive avec les aînés m'a été utile pour recommencer avec François, né fin 1974, avec plus d'assurance et de régularité.

Très souvent, en rentrant de l'école maternelle, il prenait une grande feuille de papier et un feutre, me tirait vers la table, s'installait sur mes genoux en me réclamant « une histoire ». En clair, il me demandait d'écrire une phrase qui le concernait ou le faisait rire avec des mots qu'il connaissait ou qu'il pouvait déchiffrer. C'était le bonheur ! J'avoue que je privilégiais ces moments et n'avais aucun mal à abandonner ce que j'étais en train de faire.

Je n'ai jamais forcé aucun enfant à faire quoi que ce soit, pour la raison simple que je ne m'étais fixé ni objectif ni délai. Simplement, je trouvais passionnant de l'accompagner dans sa conquête de l'écrit, d'observer comment il arrivait à comprendre le principe du système alphabétique.

Quelle méthode ?

Je suis toujours embarrassée pour répondre à la question : quelle méthode utilisez-vous ? Dans l'esprit du public, l'apprentissage de la lecture est obligatoirement lié à une « méthode » impliquant un enseignement et une progression prédéterminée. Or je veux précisément montrer que, de même que pour l'acquisition du langage oral qui est le propre de l'homme, l'enfant n'a pas besoin, au début, d'enseignement formel, mais de l'accompagnement de l'adulte[4].

Je ne puis donner une méthode toute prête, avec progression prédéterminée, à faire tant de minutes par jour pendant tant de semaines, car je sais, d'après les témoignages de nombreux parents déçus, que les « méthodes » systématiques (et rigides) destinées aux tout jeunes enfants ne « marchent » pas plus de quelques semaines. Une seule méthode ne peut jamais être valable pour tous les enfants, chacun ayant son approche particulière de l'écrit. C'est pourquoi je propose le maximum d'activités possibles, à sélectionner et à adapter à chaque enfant, afin de mettre à sa disposition ce dont il

---

4. Il est par ailleurs intéressant de noter que l'homme est génétiquement programmé pour la marche debout, notamment par la forme de son bassin, mais que le petit d'homme ne sera pas capable de marcher s'il n'y est pas entraîné par son entourage : les enfants-loups ne pouvaient se tenir debout et ne se déplaçaient qu'à quatre pattes.

a besoin au moment où il en a besoin, pour progresser en fonction de sa spécificité, de son rythme et de son caractère.

Ainsi, de même qu'on lui a appris à parler, on lui permet d'apprendre à lire par lui-même. On l'intéresse à l'écrit et on utilise ses découvertes et sa créativité pour l'aider à progresser. L'interaction avec l'adulte est indispensable, mais il n'y a pas d'enseignement : seulement une aide à l'apprentissage. Donc pas d'autre progression que celle de l'enfant lui-même.

Bien que les quelques pages suivantes soient plus théoriques, je pense qu'elles sont essentielles parce qu'elles décrivent la manière dont l'enfant apprend en général. **Et son cerveau fonctionne de la même manière pour apprendre à lire que pour tout ce qu'il apprend depuis qu'il est né.** Ce passage permettra à l'adulte de mieux comprendre les tâches à maîtriser dans l'acte de lire, et le pourquoi de la « technique » décrite plus loin. Car on fait mieux les choses si l'on en comprend le fondement. Cela permet aussi de prendre des initiatives dans le cadre de ce qui est proposé dans ce livre : je souhaite que les parents prennent de l'assurance et des libertés avec ce qui est conseillé.

Oral, écrit : deux symboles, un langage

Un symbole écrit n'est pas plus abstrait pour l'enfant qu'un symbole oral, pourvu que les deux soient reliés à la réalité et adaptés à son développement cognitif, sensoriel et affectif. Par exemple, le mot écrit *pomme* n'est pas plus difficile à appréhender pour le cerveau de l'enfant que le mot dit.

Pour que l'enfant apprenne à parler, il est indispensable qu'on lui parle. Sa maman n'a pas attendu qu'il soit « mûr » pour lui parler. D'ailleurs, l'idée ne viendrait à personne d'affirmer que, si l'enfant ne peut parler avant 18 mois, il est dangereux avant cet âge non seulement de lui parler, mais de lui laisser la possibilité d'entendre le moindre mot.

Pourtant, c'est pratiquement ce que nous faisons avec le langage écrit ! Sous prétexte que l'enfant ne sait pas lire, nous le privons de l'écrit adapté à ses possibilités perceptives. Je m'explique : pour qu'un bébé comprenne le langage oral, on lui parle distinctement et on répète souvent les mêmes mots. Pour faire comprendre le langage écrit à l'enfant, pour qu'il puisse lire, il suffirait de faire la même chose : écrire des mots en caractères suffisamment grands, exactement comme on nomme pour le bébé, de manière claire et distincte, les personnes, animaux et objets qui l'entourent. Ces mots doivent être chargés affectivement pour l'enfant et faire partie de son univers. On montre d'abord des mots et non des lettres, car ils forment les unités de base du langage écrit, de la même manière que les mots dits sont les unités de base du langage oral et non les phonèmes* qui les composent. D'ailleurs, pour l'enfant le mot *chocolat* est beaucoup plus intéressant et significatif que la lettre *c* !

L'adulte est particulièrement attentif aux réactions et remarques de l'enfant en ce qui concerne les lettres et groupes de lettres. Par ailleurs, on passe très vite des mots – selon l'âge – aux petites phrases qui le concernent et l'intéressent. Il est en effet capital de lui donner dès le début le désir de comprendre l'écrit qui lui est proposé.

Lorsqu'il apprend à rouler à vélo, on permet à l'enfant d'en faire d'emblée l'expérience en lui tenant la selle : on ne commence pas par lui expliquer le fonctionnement du pédalier. De même, lorsqu'il aborde la lecture, il est essentiel de lui donner tout de suite la sensation de lire, qui implique reconnaissance et compréhension instantanées des mots.

La perception instantanée des mots est due au départ à des repères visuels (première lettre, accent...) qui se transforment peu à peu en repères grapho-phonémiques* et orthographiques pour finalement atteindre la reconnaissance automatique définitive du lecteur habile.

On joue donc à reconnaître les premiers mots. Si on a pu l'intéres-ser, l'enfant les mémorise à une vitesse incroyable, et ces moments de jeu-lecture procurent à tous une joie profonde.

Pour le non-initié, il est impressionnant de voir ainsi de très jeunes enfants reconnaître quantité de mots qui, très tôt, peuvent être combinés en de courtes phrases.

Mais on devrait s'extasier autant devant l'enfant qui en deux-trois ans apprend à comprendre des milliers de mots par l'oreille et à les utiliser. Il s'agit d'une véritable prouesse intellectuelle... Non seulement il peut apprendre sa langue maternelle, mais il peut en acquérir une autre si on lui en donne l'occasion, et qui plus est avec l'accent exact de la personne qui la lui parle.

Le code de l'écrit

Vous me direz : des mots, des mots, des mots... Même s'ils reconnaissent des centaines de mots, ils ne sauront toujours pas lire. C'est évident !

Bien que savoir lire signifie d'abord comprendre un message écrit, il est en effet indispensable de savoir déchiffrer*, de connaître les correspondances grapho-phonémiques* de la langue en question pour être à même de lire n'importe quel mot.

Comment l'enfant peut-il s'approprier le code* ? Comment peut-il découvrir le système[5] ?

Pour moi, ce fut un véritable émerveillement de constater que, au fur et à mesure que l'enfant mémorise des mots, non seulement il les emmagasine, mais que spontanément, aussitôt qu'un mot nouveau est introduit, il l'analyse, le compare (souvent inconsciemment) avec les mots appris auparavant. Ainsi, en interaction avec l'adulte, il identifie des lettres et des suites de lettres fréquentes et, peu à peu, progresse dans la découverte du système !

Toutefois, pour qu'il puisse identifier, par exemple, le son habituel d'une lettre ou d'une suite de lettres (*on, ette...*), il faut, au moins pour les premières qui attirent son attention, qu'il ait mémorisé suffisamment de mots commençant par cette lettre ou suite de lettres.

---

5. Le Pr Ragnhild Söderbergh, de l'université de Lund (Suède), a remarquablement décrit et analysé le processus de la découverte du code par son enfant, à qui elle a montré les premiers mots à 2 ans et 4 mois, dans *Reading in Barly Chilhood. A Linguistic Study of a Preschool Child's Gradual Acquisition of Reading Ability*, Georgetown University Press, Washington DC, 1977.

Ainsi :
- avec *maman, miel, maison, moto,* il va pouvoir découvrir le son de la lettre *m* ;
- avec *carotte, canard, camion, Carole,* il va pouvoir isoler la syllabe *ca* ;
- avec *biberon, bonbon, cochon,* il remarquera le *on.*

Très souvent, même s'il n'a que 2-3 ans, l'enfant vous fera comprendre ou vous dira, lorsque vous lui écrirez un mot nouveau, que « c'est comme » tel ou tel mot ou que « c'est pareil que... » Ces réactions et commentaires sont très précieux pour l'adulte : ils permettent de prendre conscience des stratégies* utilisées par l'enfant et de l'aider à étayer ses découvertes.

On constate que l'enfant est actif dans son apprentissage. C'est lui qui le conduit et, croyez-moi, il est passionnant de le suivre ainsi dans sa découverte. L'adulte n'a plus qu'à le féliciter, à approuver ou infirmer – nous verrons comment le faire de manière positive ! – ses trouvailles, ce qui l'encourage à faire de nouvelles remarques.

En ce qui concerne l'apprentissage du langage oral, il est tout aussi actif. Il n'imite pas seulement le langage au fur et à mesure qu'il perçoit des mots nouveaux ou de nouvelles formes de langage, il attaque celui-ci et construit ses propres hypothèses sémantiques*, ses propres règles de grammaire qui évoluent pour se rapprocher de plus en plus de celles de l'adulte. C'est le temps délicieux des rapprochements cocasses, des mots inventés : *poubelleur* avec *docteur, facteur...* Je me souviens qu'un de mes enfants avait découvert la signification du préfixe *dé* et avait créé : *démettre le couvert, mes mains sont délavées* et *il a tout désordé ma chambre !* La maman de Leia (3 ans) me raconte que sa fille lui demande de l'aider à *dégrimper* de sa chaise. Tous les parents ont « vécu » ces mots inventés « intelligents » sans s'en rendre compte.

Les stratégies mentales – inconscientes – utilisées par l'enfant pour comprendre la structure du langage, qu'il soit oral ou écrit, sont les mêmes. Ce sont celles qu'il utilise depuis qu'il est né pour comprendre le monde qui l'entoure. Prenons le temps de les analyser brièvement.

Les fondements théoriques

Cette analyse du processus d'apprentissage de l'oral et de l'écrit rejoint les théories de Jerome Bruner (États-Unis), un des plus grands psychologues cognitifs* actuels. En 1986, lors d'un de mes voyages d'étude aux États-Unis, j'ai voulu en savoir plus sur son œuvre traduite en dix-neuf langues, mais pas en français (sauf pour quelques essais). Elle commence seulement à être connue en France grâce à Britt-Mari Barth qui nous explique ceci : « Bruner décrit les processus d'apprentissage et insiste sur le rôle de l'interaction avec le milieu social. Il considère l'enfant qui apprend comme un chercheur. En effet, celui-ci cherche à reconnaître des constantes dans ce qu'il perçoit, et essaie de trouver une structure significative pour organiser les éléments qu'il possède[6]. » Il n'apprend pas seulement des faits par cœur – des mots en ce qui nous concerne –, mais essaie de voir des relations entre les régularités remarquées.

« L'activité intellectuelle est la même partout, qu'il s'agisse d'un chercheur ou d'un jeune enfant. Ce que fait un scientifique à son bureau ou dans son laboratoire [...] est de la même nature que ce que fait n'importe quel être engagé dans une recherche de compréhension. La différence est de degré et non pas de nature. » (Bruner, 1960.)[7]

À la naissance, l'enfant possède tous les outils intellectuels nécessaires pour apprendre, mais il a besoin de l'interaction de son entourage pour l'aider, en temps utile, à s'en servir.

Voici les conseils que Bruner donne à l'adulte afin d'aider les enfants dans leurs apprentissages :

« ... Il faut donner l'occasion aux enfants de s'approprier l'information, de l'explorer, d'abord par intuition, ensuite par l'analyse [...] En explorant les indices, ils s'entraînent à formuler des hypothèses, à aller "au-delà de l'information donnée", à tester les limites de leurs concepts[8]... »

---

6. Britt-Mari Barth, *in Communication et langages*, n° 66, 4ᵉ trimestre 1985.
B.-M. Barth reprend J. S. Bruner, *The Process of Education*, Harvard University Press, Cambridge, Mass., 1960.
7. *Ibid.*
8. *Ibid.*

C'est exactement ce que nous faisons en leur proposant l'écrit et en dialoguant avec eux à son sujet.

Le processus d'apprentissage

Comme le développe parfaitement Britt-Mari Barth dans *L'Apprentissage de l'abstraction*[9], l'activité mentale engagée par tout être humain dans le processus de compréhension – en ce qui nous concerne la compréhension du code alphabétique – peut être décomposée en quatre stades : la perception, la comparaison, l'hypothèse, la généralisation.

La perception

Il est acquis que l'enfant peut percevoir et mémoriser quantité de faits ; dans notre cas, des mots écrits.

« La perception commence par une discrimination : il distingue certains éléments et pas d'autres[10]. » Le mot *papa* sera, par exemple, perçu et reconnu par l'enfant grâce aux hampes des deux lettres *p* ; il prend des indices visuels pour reconnaître le mot parmi d'autres.

« Plus on a acquis de connaissances, plus on est attentif aux stimuli. Plus on est informé, plus on perçoit l'information[11] » : lorsque l'enfant aura découvert le son correspondant à la lettre *p*, il ne percevra plus *papa* de la même manière car il possédera un indice phonologique en plus des indices visuels. La perception est fonction de l'expérience individuelle antérieure.

La comparaison

« Perception et comparaison sont intimement liées[12]. » Lorsque l'enfant compare des mots, il repère le plus souvent une lettre ou une suite de lettres initiales, ou une fin de mot identique. « L'enfant, comme le scientifique, cherche à établir des régularités dans ce qu'il

---

9. Britt-Mari Barth, *L'Apprentissage de l'abstraction, op. cit.*
10. *Ibid.*
11. *Ibid.*
12. *Ibid.*

perçoit[13]. » Exemple : avec *chocolat, cheval, château,* il va pouvoir repérer le graphème* *ch* que ces mots ont en commun.

Il faut toujours approuver le jeune enfant qui remarque des analogies, afin de l'encourager à poursuivre son analyse. S'il ne semble pas en remarquer, mettons-le sur la voie : pour susciter la découverte de la correspondance grapho-phonémique */on/* par exemple, on peut rechercher dans ses mots ceux qui finissent par ce graphème et lui proposer de trouver la constante. « Il progressera mieux si on l'aide à "voir" et organiser les éléments que si on surcharge sa mémoire avec des éléments non structurés qu'il est incapable de retenir[14] ! »

Toutefois, certains enfants mémorisent des centaines de mots sans exprimer une analyse de vive voix. Ils l'effectuent cependant : on peut s'en apercevoir lorsqu'ils commencent à lire des mots qu'ils n'ont jamais vus auparavant, mots formés de parties de mots connus. Afin que l'enfant puisse parvenir au stade suivant, celui de l'hypothèse, il est essentiel qu'il dispose d'un nombre suffisant d'exemples. Plus il en aura, plus la conclusion lui sera évidente.

L'hypothèse

« Dans la vie de tous les jours, les enfants font continuellement des hypothèses, sans s'en rendre compte[15]. » Quand Pierre dit que c'est son petit frère qui a cassé son hélicoptère en Lego® parce qu'il l'a vu sortir de sa chambre, il fait une hypothèse. Quand ce dernier appelle « chat » tous les animaux à poils sur quatre pattes, il fait une hypothèse.

Ayant trouvé les analogies visuelles et auditives dans les mots *chocolat, cheval, château,* l'enfant peut induire la correspondance entre le graphème *ch* et le phonème */ch/* et en confier la règle à sa mémoire.

« L'hypothèse est une proposition faite à partir de cas particuliers. Elle est, dans un premier temps, aléatoire et nécessite par la suite confirmation, ou alors d'être infirmée par une nouvelle découverte[16]. »

---

13. Britt-Mari Barth, *in Communication et langages,* n° 66, 4ᵉ trimestre 1985.
14. Britt-Mari Barth, *L'Apprentissage de l'abstraction, op. cit.*
15. *Ibid.*
16. *Ibid.*

Avec les mots *carotte, copain, canard*, l'enfant induira que la lettre *c* correspond au son */k/*. Lorsqu'il tombera sur *citron*, il se trouvera en déséquilibre, sa conclusion ne tenant plus. C'est ici que le dialogue avec l'adulte est important pour aider l'enfant à classer les nouvelles données. L'hypothèse d'une nouvelle règle sera facilitée si l'enfant peut disposer d'autres exemples comme *Cécile, cirque, ciel* et *câlin, colle, crayon*. L'adulte l'aidera à classer les mots ayant les mêmes attributs. L'enfant apprend naturellement par induction*, et c'est le nombre d'exemples qui lui permettra de découvrir la règle. Commencer par lui administrer cette règle – qu'il ne peut comprendre parce qu'il ne l'a pas découverte lui-même – afin de l'aider à déchiffrer un mot commençant par *c* consisterait à l'obliger à faire un raisonnement déductif qu'il n'est pas capable de faire.

La généralisation

Nous venons de voir que l'enfant utilise le raisonnement « inductif » pour découvrir le principe alphabétique. Il sera capable d'utiliser le raisonnement « déductif » dès qu'il aura acquis un concept.

Exemples : dès qu'il a saisi la correspondance grapho-phonémique* *ch*, il prononcera sans doute */ch/*... en présence d'un mot inconnu commençant par ces lettres.

De même, dès qu'il a compris le principe de la fusion consonne-voyelle grâce à quelques exemples, il peut opérer le transfert à toutes les consonnes combinées à n'importe quelle voyelle (*a, é, i*... mais aussi *on, eau, oi*...).

La maîtrise de la combinatoire, c'est-à-dire du lien des lettres entre elles, et du rapport des signes écrits aux sons qui leur correspondent est un effet et non une cause de l'apprentissage de la lecture.

INDUCTION* ET DÉDUCTION*

Il est utile, à ce stade, et dans le cadre de l'apprentissage de la lecture, de faire la différence entre inférence inductive et déductive, selon B.-M. Barth.

L'« inférence inductive » infère une règle à partir de l'observation de faits particuliers, d'exemples. La règle peut être modifiée au fur et à mesure qu'on rencontre de nouveaux exemples. La règle n'est pas universelle dans un premier temps, mais elle peut le devenir si le nombre d'exemples est suffisant (voir carotte, copain, canard).

L'« inférence déductive » est la conclusion à partir d'une vérité donnée.

On conclut que si une chose est vraie, l'autre qui y est contenue l'est nécessairement. Voici un exemple : les chiens sont des animaux ; Médor est un chien, donc Médor est un animal.

Pour la déduction, les résultats sont déterminés par des connaissances antérieures. Pour que l'enfant puisse faire une déduction, il doit posséder des connaissances concernant les vérités énoncées. En partant d'une information vraie, on peut en déduire une autre. Le syllogisme est un exemple classique d'une inférence déductive. Les preuves étant données dans les prémisses, l'inférence est nécessairement vraie.

Voici un exemple concernant le sujet qui nous intéresse :
– devant e et i, la lettre c se prononce /s/ ;
– dans ceinture, la lettre c se trouve devant un e ;
– dans ceinture, c se prononce /s/.

Pour ce qui est du concept de la fusion consonne-voyelle (b + a = ba) qui paraît simple, l'enfant doit d'abord le découvrir par induction et le comprendre avant de pouvoir en appliquer la règle, le généraliser, c'est-à-dire opérer le transfert avec d'autres lettres.

Pour comprendre que b + a = ba, il faut que l'enfant ait découvert :
– la correspondance lettre/son du b (grâce à **b**ateau, **b**iberon...) ;
– la correspondance lettre/son du a (p**a**p**a**, **a**rbre, Nat**a**ch**a**) ;
mais aussi, afin d'accéder à la fusion consonne-voyelle **ba**, qu'il ait rencontré :
– d'une part : **ba**llon, **bi**beron, **bé**bé, **bu**lle... (même consonne, voyelles différentes) ;
– et d'autre part, par exemple : **pa**pa, **ma**man, **ca**deau, **sa**pin... (consonnes différentes, même voyelle).

Alors seulement il disposera de tous les éléments pour comprendre la règle de la fusion consonne-voyelle et pourra bientôt opérer le transfert, c'est-à-dire appliquer la règle avec d'autres lettres.

Pardonnez cette explication théorique et détaillée. Elle était destinée à ceux qui aiment aller au fond des choses, la compréhension des mécanismes facilitant beaucoup le dialogue fructueux avec l'enfant.

La description de notre démarche d'aide à l'apprentissage du langage écrit par le très jeune enfant est poursuivie plus loin. (Voir « Les facilités liées à la démarche », p. 30.)

3. Pourquoi apprendre à lire avant 6 ans ?

D'abord, parce que l'enfant en est capable et qu'il est plus facile pour lui d'apprendre à lire petit à petit de manière détendue, intuitive, que de suivre des leçons de lecture programmées par l'adulte au cours d'une période donnée.

Apprendre à parler commence bien avant que l'enfant ne puisse parler. Apprendre à lire commence et doit commencer en utilisant l'écrit de manière signifiante et adaptée avec l'enfant, bien avant l'enseignement formel à l'école. D'ailleurs, nombre d'enfants posent des questions sur l'écrit qui les entoure.

Le but est d'inscrire l'apprentissage du langage écrit de manière naturelle dans la vie de l'enfant, comme celui de la motricité et du langage oral, et non artificiellement comme il est encore courant de le faire.

Il est évident qu'un enfant de 3 ans n'est pas mûr pour apprendre à lire comme on le fait habituellement à l'école élémentaire. Mais puisqu'on a pu analyser ses démarches dans la conquête du langage oral, on peut créer l'environnement propice, les conditions qui lui permettent d'explorer, d'utiliser et de s'approprier le langage écrit à son rythme. Nous l'aidons à apprendre à lire ; nous ne lui enseignons pas la lecture. C'est très différent !

L'apprentissage sera sans doute plus étalé dans le temps, mais il aura l'avantage de posséder des racines profondes et robustes et de permettre à la créativité naturelle de l'enfant de s'exprimer.

Je pense profondément que c'est respecter le jeune enfant que de lui permettre de commencer à s'approprier le langage écrit dans la joie de la découverte et du jeu. Les conséquences de mon action me le prouvent depuis de nombreuses années.

Les facilités liées à l'âge

Rachel Cohen a décrit dans *L'Apprentissage précoce de la lecture* et dans *Plaidoyer pour les apprentissages précoces*[17] les travaux des plus grands psychologues et pédagogues ayant révélé l'immense appétit d'apprendre et le potentiel insoupçonné du tout jeune enfant.

On pense généralement que l'enfant apprend à partir du moment où il va à l'école. Or il apprend continuellement depuis sa naissance une quantité impressionnante de concepts. Il apprend notamment à parler en deux ans et demi, performance qu'il serait incapable de reproduire plus tard, tant l'apprentissage du langage est complexe et la période propice à son appropriation dépassée. L'enfant sauvage, trouvé en Aveyron par le Dr Itard lorsqu'il avait environ 13 ans, n'a jamais pu apprendre à parler.

L'enfant très jeune a d'immenses possibilités de mémorisation par tous ses sens. Maria Montessori l'a très bien illustré dans son œuvre, en comparant le cerveau de l'enfant à une éponge qui absorbe l'eau. Si on lui en donne l'occasion, il assimile aussi facilement par l'œil que par l'oreille et la main.

De plus, il construit des hypothèses sur l'écrit qu'on lui propose de la même manière que sur tout ce qui l'entoure. Nous pouvons donc organiser son environnement pour que ces hypothèses se rapprochent de plus en plus de la réalité.

L'apprentissage sera d'autant facilité que l'enfant pose des questions sur l'écrit ou demande explicitement à apprendre à lire. Le fils d'une de mes amies réclamait sans cesse qu'on lui lise des histoires et, vers 4 ans, demanda à apprendre à lire. Après que j'ai proposé à mon amie de l'aider dans cette démarche, elle s'interrogea, consulta psychologue et institutrice pour revenir sceptique et me dire : « Tu sais, il a tellement envie de savoir lire que je pense que cela marchera tout seul au CP. »

---

17. Aux Presses universitaires de France. Rachel Cohen, a été la première en France à expérimenter et à promouvoir l'apprentissage précoce de la lecture au sein de l'école maternelle, dans les milieux socio-économiques les plus divers.
Son premier ouvrage sur l'apprentissage précoce de la lecture, paru en 1977, fit scandale. Depuis, bien du chemin a été parcouru : les directives émanant de l'Éducation nationale prônent actuellement la mise en contact avec l'écrit de tous les enfants de maternelle.

Malheureusement, au CP, l'enfant crut qu'il pourrait lire très vite des histoires tout seul. Déçu, il eut beaucoup de mal à apprendre à lire, et cet apprentissage devint pour lui une véritable corvée alors qu'il s'en était fait une fête. En CE1, il peinait toujours malgré le secours de l'orthophoniste. Et sa mère de dire : « Si j'avais su !... » Encore une fois, ce n'est pas la motivation qui entraîne la réussite, mais l'inverse !

Si l'adulte ne répond pas de manière positive à l'enfant qui a envie d'apprendre à lire à 4 ans, âge auquel apprendre à lire constitue un défi qui remplit l'enfant de fierté, celui-ci risque fort d'avoir perdu son enthousiasme à 6 ans. À cet âge, on est obligé d'apprendre à lire avec une méthode plus ou moins contraignante. À 3-4 ans, il n'existe aucune contrainte, mais une découverte joyeuse et ludique. L'enfant apprend comme il en a envie et quand il en a envie : il a tout le temps devant lui !

Les facilités liées à la démarche

• L'écrit et les jeux sont proposés à l'enfant, mais rien n'est jamais imposé. Il n'y a pas de programme à respecter. Il est même vivement conseillé de ne proposer l'écrit à l'enfant que s'il y trouve plaisir ou intérêt évident.

• Dans une ambiance ludique et affectueuse, nous commençons par lui montrer des mots qui le touchent de près ; il apprend très facilement ce qui l'intéresse : c'est une loi universelle.

• Ces mots qu'il aime l'amènent tout naturellement à s'intéresser et comprendre l'écrit qui l'entoure : mots connus dans ses livres, courrier, étiquettes de produits de consommation, affiches, enseignes... Il l'utilise aussi de manière naturelle dans la vie quotidienne : libeller un dessin, écrire « sa » liste de courses...

• Le dialogue sur l'écrit s'établit spontanément n'importe quand et n'importe où : en voiture, à table, au moment du bain, dans la rue...

• L'enfant guide lui-même l'acquisition du code* de l'écrit, qui sera fonction des mots qu'il connaît, des remarques, questions, voire erreurs faites à leur sujet. Par exemple, c'est au moment où l'enfant remarque la similitude dans *pharmacie, Sophie, téléphone* qu'il lui est facile de découvrir le son représenté par la graphie *ph*. La progression n'est donc pas préétablie par l'adulte et chaque enfant réussit à sa mesure.

• L'adulte s'adapte au rythme et au style d'apprentissage de l'enfant : rapide ou lent, global ou analytique, impulsif ou réfléchi, visuel ou auditif.

L'expérience montre que les enfants passent par des périodes où ils sont intéressés soit par l'aspect graphémique (les lettres ; voir « Les remarques visuelles », p. 78), soit par leur aspect phonologique (les sons ; voir « Les remarques auditives », p. 101).

Certains enfants sont tellement intéressés par l'analyse des mots qu'ils ne vous laisseront tranquilles que lorsqu'ils auront découvert le « système ». Les uns font l'analyse presque implicitement, les autres ont besoin d'une confirmation explicite et détaillée de l'analyse qu'ils font. Même si on ne peut toujours comprendre ce qui se passe dans leurs petites têtes, une chose est sûre : les progrès les plus rapides sont observés lorsque l'on s'attache à accompagner l'enfant dans ce qui l'intéresse. Il ne sert à rien de lui proposer autre chose.

• Les premiers mots de l'enfant lui font manifestement plaisir et il découvre la joie d'apprendre grâce à l'interaction avec l'adulte, toujours positive (voir p. 59, 80 et 114). J'avais été frappée par le fait que beaucoup d'enfants de 6-7 ans en CP n'avaient pas cette attitude de joyeuse découverte, voire de jubilation, qu'ont les enfants de 4 ans.

Les avantages à court terme

• L'enfant qui a commencé à apprendre à lire très jeune a une lecture plus rapide et une meilleure compréhension que celui qui commence à apprendre à lire à l'âge habituel. Ainsi que de nombreux parents, j'ai pu le vérifier avec mes propres enfants, surtout les deux garçons, dont je m'étais davantage occupée. La différence avec les camarades de classe était très nette durant tout le primaire. Ils abordaient la lecture d'une manière totalement fonctionnelle : elle n'était qu'un moyen, un outil qui leur permettait de s'intéresser à tout et de dévorer leurs histoires silencieusement pour leur plus grand plaisir. Je fais le même constat avec mes petits-enfants et les enfants dont j'ai suivi le parcours régulièrement.

Tous les chercheurs qui ont expérimenté l'apprentissage précoce de la lecture, soit sur leurs propres enfants, soit en classe, le confirment (R. Cohen, W. Callaway, D. Durkin, F. Hugues, R. Söderbergh, A. W. et K. E. C. Past, et tant d'autres).

• Le vocabulaire des enfants qui lisent beaucoup s'enrichit très vite. « Avoir du vocabulaire » ne s'acquiert pas en copiant un mot et sa définition, mais en lisant le même mot dans plusieurs textes et contextes différents au hasard des lectures.

• Les enfants ont en général une orthographe excellente, fruit d'une mémoire visuelle exercée et du système des « maisons » que je propose. C'était le cas de nos deux fils. Sophie a acquis une orthographe correcte, mais celle-ci n'était pas naturelle comme celle de ses frères. Cela s'est aussi vérifié chez mes petits-enfants. J'ai également reçu d'innombrables témoignages de parents à ce sujet. Même constatation exprimée par de nombreux chercheurs, dont R. Söderbergh et K. E. C. Past.

Ce n'est pas en recopiant dix fois un mot qu'on améliore son orthographe ! Un enfant qui est bon en orthographe est celui qui a une bonne image visuelle du mot et de ses particularités grapho-phonologiques et morphologiques*, c'est-à-dire le voit « dans sa tête », parce qu'il l'a vu souvent, qu'il n'a pas appris à lire et à écrire phonétiquement.

De plus, un enfant qui lit vite, qui comprend ce qu'il lit, a beaucoup de facilité à faire l'analyse logique et à acquérir une bonne orthographe grammaticale. Les conjugaisons sont plus faciles à assimiler.

• Bref, la scolarité débute par la réussite, indispensable à l'équilibre de l'enfant. Détendu vis-à-vis de sa scolarité, vacciné contre l'échec scolaire (fruit du mauvais apprentissage de la lecture), il dispose de plus de temps libre pour jouer. On peut déménager et changer d'école sans risques en milieu de CP, changer de maîtresse ; on a même le droit d'être malade ! Bien que je leur aie appris à lire parce que cela nous amusait, eux et moi, je savais que j'excluais en même temps pour mes jeunes enfants le risque d'échec, si minime soit-il. Je tenais absolument à ce qu'ils soient heureux à l'école.

Évidemment, ainsi que les parents qui me connaissent, je n'ai jamais connu l'anxiété, toute naturelle d'ailleurs, qu'éprouve une mère quand son enfant entre au CP, car elle ne sait pas ce qu'il « donnera ». L'enfant, lui, sait ce qu'on attend de lui, et s'il ne réussit pas, il est forcément malheureux et peut devenir agressif pour compenser le sentiment d'échec. Ou alors, ce sont les pipi-au-lit qui reviennent comme par hasard, ou le manque d'appétit... ou les allergies. Très souvent, je rencontre des parents dont l'enfant connaît des difficultés importantes au CP, alors que rien ne les laissait présager, l'enfant ayant passé tous les tests habituels avec succès et l'instituteur de maternelle n'ayant rien remarqué de particulier. Il se peut que, tout simplement, pour beaucoup d'enfants, tout aille trop vite au CP et que pour eux il ait été fortement bénéfique de manipuler des mots, des syllabes et des lettres de manière détendue avant la grande école. L'échec à 6 ans est intolérable... et chacun sait que toutes les acquisitions futures vont dépendre de l'apprentissage de la lecture. Si un grand nombre d'enfants pouvaient bénéficier de cette démarche, à l'école ou à la maison, l'État ferait l'économie de milliers d'heures d'orthophonie et de séances chez les psychologues. Les parents ont le moyen d'éviter la plupart des échecs scolaires pour leurs enfants en s'y prenant à temps.

• Le lien parent-enfant, renforcé dans la petite enfance, aide l'enfant à devenir autonome. Par ailleurs, l'enfant lecteur comprend mieux le monde qui l'entoure parce que celui-ci est moins mystérieux.

J'avais pris l'habitude de laisser des messages écrits à François (5 ans) au moment de faire une course ou d'aller voir une voisine. Il était très fier d'être traité comme un grand !

Alors qu'il avait 5 ans et demi et que nous n'avions jamais été séparés auparavant, nous avons été obligés de le laisser à des amis pendant un voyage de quatre semaines avec les deux aînés. Les lettres que je lui envoyais, qu'il décachetait lui-même après avoir reconnu mon écriture, qu'il comprenait sans aide aucune furent pour nous un lien très puissant et ont permis que cette séparation se passe très bien. Ci-après, la reproduction (réduite) d'une de ces lettres retrouvées par hasard. Lui-même en dictait à la personne qui le gardait.

Je tenais à ce que mes enfants soient autonomes dans leur travail scolaire. Je m'intéressais à ce qu'ils faisaient à l'école, mais les laissais se débrouiller pour faire leurs devoirs. Cela n'est possible que si l'enfant comprend bien les consignes écrites.

• La découverte du langage écrit proposée dans ce livre est pour l'enfant une aventure passionnante qui engendre tout naturellement le plaisir de lire. Tous les enfants ayant bénéficié de cette approche aiment lire, même si leurs goûts diffèrent déjà. Comme dit Pauline (en CP, bientôt 6 ans) : « Lire, c'est ce que j'aime le plus au monde. »

Depuis la première édition de ce livre, j'ai reçu des centaines de remerciements et de témoignages. Les oppositions et critiques négatives viennent toujours de personnes qui ne connaissent pas la démarche proposée et n'ont pas lu le livre, ou qui s'imaginent que, pour obtenir de tels résultats, il y a certainement surstimulation... alors que c'est tout le contraire que je propose.

• La lecture est devenue très vite pour mes enfants, mes petits-enfants – et tous ceux que j'ai pu suivre de près – un formidable outil pour découvrir le monde et étancher leur soif de connaître. N'en déduisez pas qu'ils sont plongés dans des bouquins toute la journée ! Ce sont des enfants normaux qui jouent beaucoup, mais qui prennent un livre avec autant de facilité qu'ils regardent la télévision.

J'en suis persuadée, tous les jeunes enfants sont curieux, mais tous n'ont pas la chance d'avoir un environnement qui suscite leur curiosité, ni la possibilité de la satisfaire très tôt, notamment par un savoir-lire efficace.

Il est certain qu'apprendre à lire de bonne heure facilite grandement la scolarité : la plupart des enfants qui l'ont fait sont en tête de classe. Cependant, cela n'a jamais constitué le but de ma démarche. Donner à l'enfant les moyens de satisfaire sa curiosité naturelle et dans l'avion.

mon chéri,

nous avons enfin décollé avec trois heures de retard, parce qu'un boulon était mal vissé. il fait très beau.

l'avion est très gros. c'est un boeing 747 qui transporte 300 personnes.

j'espère que tu es bien installé avec Bénédicte et que tu joues bien à la plage.

papa lit et sophie réclame à manger.

je t'envoie de gros baisers sur les 2 joues.

maman.

tu donnes l'autre page à Jacqueline.

la susciter, lui faciliter, grâce à la lecture maîtrisée, l'accès à une véritable culture est tellement plus important que les bonnes notes qu'il peut récolter.

Pour les parents, les bons résultats scolaires ne devraient jamais être un but, mais une conséquence de leur démarche avec l'enfant. On n'apprend pas à lire en fonction de ce qui est demandé à l'école ; on apprend à lire pour soi-même. Il faut veiller à ne pas perdre de vue l'objectif en cours de route.

Ne pas limiter l'acquisition des connaissances à celles exigées par l'école, le collège. S'intéresser autant, sinon plus, à ce que l'enfant apprend par lui-même en dehors de l'école.

• Avoir l'occasion d'apprendre à lire très jeune, comme d'apprendre une langue étrangère, donne des habiletés mentales, facilite les acquisitions ultérieures et favorise indéniablement le développement intellectuel de l'enfant[18] (voir R. Cohen, 1982). Quelques parents m'ont par ailleurs fait remarquer que ces enfants déchiffrent leurs partitions de musique avec plus d'aisance que leurs camarades.

• Apprendre à lire très jeune aide très efficacement les enfants lents ou ayant des problèmes de langage à effacer leur handicap.

Notre dernier fils (François) était un enfant lent : lent pour s'habiller, lent pour ranger ses affaires, lent pour dessiner. Sa maîtresse de maternelle lui en faisait souvent le reproche. Je suis certaine qu'il aurait eu beaucoup de difficulté à apprendre à lire comme tout le monde au CP si nous n'avions pas fait le chemin ensemble. Voici l'événement qui m'en a donné la certitude. Avant l'entrée en CP, je suis amenée, comme toutes les familles de la classe, à rencontrer avec lui la psychologue scolaire qui doit vérifier l'appréciation de son institutrice « enfant lent ». François passe quelques petits tests, puis la psychologue m'explique : « Il aura du mal à apprendre à lire ! » Je suis très embarrassée. C'est le petit qui me sort de ce mauvais pas en disant : « Mais je sais lire ! » Voyant que la psychologue ne prête aucune attention à ce que vient de dire l'enfant, je prends un petit livre sur la table et le tends à François. Celui-ci, comme chaque fois

---

18. Voir Rachel Cohen, *Plaidoyer pour les apprentissages précoces*, PUF, 1982.

qu'il prend un livre qu'il ne connaît pas, le feuillette et se met à le lire... des yeux, pour lui-même. Il faut que je lui dise : « Tu lis pour la dame ? » pour qu'il s'exécute. La psy est médusée... et ne me demande même pas comment il a appris. Je me sauve... Cette personne avait raison sur un point : François aurait sans doute eu du mal à apprendre à lire normalement au CP, mais j'avais la preuve vivante qu'un enfant peut apprendre à bien lire très jeune, comme il a appris sa langue maternelle, en la découvrant lui-même, sans « méthode »... et pour son plaisir.

• Commencer l'apprentissage de la lecture tel que proposé dans ce livre permet de détecter plus tôt une éventuelle dyslexie et d'aider l'enfant à la compenser efficacement.

Les avantages à long terme

• Une étude dirigée par Rachel Cohen, décrite et commentée dans le numéro 88 de la *Revue française de pédagogie*, montre que des enfants de sixième ayant profité de l'apprentissage précoce de la lecture en maternelle sont non seulement nettement meilleurs en français (orthographe, grammaire, rédaction) que les élèves d'une classe témoin ayant commencé l'apprentissage en CP, mais qu'un important développement s'est opéré, permettant aux enfants du groupe expérimental d'obtenir de meilleurs résultats dans d'autres disciplines (mathématiques, sciences naturelles, musique). Les tests psychologiques révèlent une nette supériorité dans le domaine verbal et celui de la compréhension de texte. Un des loisirs préférés est la lecture, ce qui n'empêche pas le sport et les autres activités.

• Je me permets de résumer ici le témoignage du Pr Söderbergh[19] à propos de sa fille.
Ragnhild Söderbergh a montré les premiers mots écrits à son enfant en suédois (sa langue maternelle) à 2 ans et 4 mois. Selon l'expression de sa mère, elle « brise le code » à 3 ans et demi. À 4 ans,

---

19. *Op. cit.*

elle lit couramment et avec une compréhension totale n'importe quel livre qui l'intéresse.

Dès 3 ans, elle se met aussi à lire le danois (la langue de son père) et l'anglais. Vers 4 ans et demi, elle lit de petits livres simples en anglais qu'elle raconte ensuite en suédois à sa mère. À 5 ans, elle apprend le français et entre à 6 ans à l'école française de Stockholm. Söderbergh affirme que pour sa fille l'apprentissage des langues fut facilité par sa capacité à lire.

Elle n'a jamais été confinée dans les études. Très tôt, elle s'est intéressée à l'archéologie, aux problèmes d'environnement, à la politique, la religion, la philosophie. Actuellement professeur d'université, elle souhaite que tous les enfants aient la chance qu'elle a eue de savoir bien lire à 4 ans.

• Je constate en observant mes enfants que posséder un savoir-lire rapide et efficace leur a certes facilité les études (c'est aussi le cas de familles que j'ai suivies de près depuis 1986 et des aînés de mes petits-enfants), mais leur a surtout donné la capacité d'apprendre par eux-mêmes ; ils y attachaient d'ailleurs autant d'importance qu'à ce que l'école, le collège ou le lycée leur enseignait. Je pense que cette ouverture sur le monde leur a permis une facilité d'insertion et d'adaptation dans la vie active.

• En 1991, François était âgé de 16 ans au moment de passer son bac. Il avait beaucoup d'activités extrascolaires. Il était abonné à plusieurs revues (*Newsweek, Science et Vie*...) ; il lisait beaucoup et de tout : des bandes dessinées aux romans classiques en passant par la presse quotidienne. Il le faisait par intérêt ou par plaisir, sans fatigue parce qu'il avait une vitesse de lecture très grande. Cette vitesse est constatée par tous les chercheurs ayant proposé l'apprentissage précoce de la lecture à des enfants. Aujourd'hui, à 34 ans, il a une carrière internationale, alors que c'était celui de mes enfants qui n'a commencé à parler qu'à 2 ans et demi et avait soi-disant le moins de potentiel. Il me dit souvent qu'aimer lire et pouvoir lire beaucoup sans effort lui a donné le moyen de se cultiver et d'entretenir un esprit critique. Savoir lire tôt et avec aisance lui a rendu l'école plus facile et plus intéressante. Sans cette facilité, il n'aurait probablement pas accédé à son niveau d'études (une grande école d'ingénieurs). Il a offert ce livre comme cadeau de naissance à plusieurs amis devenus parents.

• Ceux de mes petits-enfants qui ont davantage bénéficié de ce que je propose lisent plus et avec beaucoup d'aisance. Les deux aînées ont très bien réussi le baccalauréat général. Des parents de tous milieux m'ont téléphoné ou écrit pour donner des nouvelles de leurs enfants adultes... auxquels ils offrent ce livre en tant que grands-parents.

Avoir une très grande maîtrise de la lecture favorise l'esprit critique, permet à tous les jeunes qui lisent beaucoup de s'intéresser à des sujets très variés, de ne pas être trop préoccupés par le scolaire et de pouvoir développer leurs talents personnels. Je pense qu'ils sont plus libres, qu'ils ont une vie plus enrichissante que beaucoup de jeunes de leur âge.

Pour en arriver là, voyons comment proposer le langage écrit au très jeune enfant et comment l'aider à se l'approprier.

DEUXIÈME PARTIE

Comment aider un petit enfant à apprendre à lire ?

1. Préalables

Que puis-je faire pour préparer mon enfant à bien lire ? L'apprentissage aisé du langage écrit (la lecture) est favorisé par une bonne maîtrise du langage oral, qui lui-même prend sa source dans la communication verbale et non verbale, principalement avec les parents, dès la naissance. La communication naît de l'amour. Le bébé y est très sensible et la recherche de tout son être.

Le langage

L'aptitude au langage est innée, mais il est indispensable qu'elle soit exercée. Si on ne parle pas au jeune enfant, il ne comprendra pas et ne parlera pas. Il s'agit de ne pas laisser passer une période sensible où l'apprentissage se fait facilement.

Parler beaucoup au bébé en laissant libre cours à son instinct, imiter son babil, les sons qu'il émet pour l'encourager à recommencer est la meilleure façon de l'aider à construire son langage. Ensuite, dialoguez avec lui, reprenez simplement ce qu'il dit ou essaie de dire, sans forcément lui demander de répéter correctement.

Nommez très tôt les parties du corps de l'enfant au moment de la toilette, ses vêtements, les personnes, les aliments, les objets et les animaux familiers, ainsi que tout ce qui attire le regard de l'enfant. Toutes les occasions de la vie quotidienne sont bonnes pour dialoguer avec l'enfant, expliquer ce que vous faites, raconter.

Les imagiers

Utilisez un imagier très simple dès que possible. Il est important que le tout jeune enfant ne puisse voir qu'une image à la fois, ce qui lui permet d'associer le symbole oral au dessin. L'idéal consiste à utiliser le livre à spirale représentant une seule image sur chaque page. Presque tous les éditeurs proposent une image sur la page de gauche et une autre sur la page de droite. Même si vous montrez au bébé de 10 mois le chien sur la page de gauche, il verra aussi le chat sur la page de droite et ne pourra pas faire la part des choses. J'ai essayé d'utiliser un cache afin de ne montrer qu'une image à la fois, mais l'attention de l'enfant est attirée par le cache qu'il veut saisir autant que par l'image. L'idéal est d'avoir des images sur fiches de la grandeur d'une carte postale que vous groupez par sujets. Exemples : fruits, couleurs, objets pour la toilette, etc. Dès que l'enfant est capable de montrer du doigt une image ou s'intéresse à l'image que vous montrez, celle-ci sera isolée et il pourra faire la relation image/mot oral.

Ensuite vient le stade de l'action très simple représentée par le dessin et quelques mots que l'on peut lire et commenter amplement. Comme nous le verrons plus loin pour le langage écrit, il faut toujours donner l'information avec enthousiasme et ne poser de questions que dans la mesure où vous donnez les réponses vous-même. Comme lorsqu'il apprend à lire, l'enfant adore apprendre, mais déteste qu'on l'interroge. Il saura se manifester pour vous montrer qu'il sait : n'oubliez pas dans ce cas de le féliciter !

Puis c'est la petite histoire à laquelle l'enfant peut s'identifier, reprenant les menus faits de son univers.

Très tôt, inscrivez votre enfant dans une bibliothèque. Vous n'achèterez que les livres auxquels il tient plus particulièrement. Vous pouvez aussi l'abonner à un mensuel ; quelle joie de trouver sa revue préférée dans la boîte aux lettres !

L'histoire lue

Dès que l'enfant est capable de suivre une histoire courte, il faut s'attacher à lire le texte du livre afin qu'il se rende compte que celui-ci est immuable. Il est bon de commenter et de dialoguer au sujet de l'histoire, mais il est important de revenir au texte exact pour que l'enfant prenne conscience de sa pérennité.

Il ne faut pas reculer devant un texte contenant des mots que l'enfant ne connaît pas : c'est en les lisant pour lui et en les utilisant qu'il pourra en comprendre la signification. Les enfants adorent les mots nouveaux.

J'insiste sur ce point, car, dans chaque stage que j'anime, je rencontre des parents qui, même avec un enfant de 4 ans, racontent le livre sans le lire. Un livre adapté à l'âge de l'enfant doit être lu tel qu'il se présente. On peut bien sûr le commenter autant que l'enfant le souhaite. Cette manière d'agir permet à l'enfant d'enrichir son vocabulaire, d'apprendre la syntaxe et finalement d'acquérir une « oreille littéraire », le langage oral étant moins élaboré que le langage écrit.

La moitié de l'apprentissage de la lecture consiste à écouter des histoires lues.

Ce qui est décrit dans cet ouvrage pour aider l'enfant qui apprend à lire n'a pas de raison d'être entrepris si on ne fait pas la lecture à l'enfant. Et il sera indispensable de continuer à lui lire des histoires et des documentaires tant qu'il le souhaitera.

Le vocabulaire, la syntaxe, les expressions acquises ainsi lui permettent de comprendre et d'anticiper les mots des textes qu'il lira lui-même. L'anticipation favorise la compréhension et joue un rôle important dans l'acte de lire.

L'histoire racontée

Cela n'enlève rien à la valeur des histoires racontées ! Je garde un souvenir ému des histoires que mon mari racontait à nos enfants, chacun assis sur un genou, en les impliquant dans l'aventure qu'il inventait. Ce sont des moments précieux dont les enfants se souviendront toujours.

Il faut simplement que l'enfant soit conscient que ce sont deux activités différentes.

Une bonne audition

Si votre enfant a un retard de langage, n'hésitez pas à consulter un oto-rhino-laryngologiste (ORL), qui lui fera passer un audiogramme. Un simple bouchon de cérumen ou une otite séreuse passée inaperçue peut diminuer considérablement ses capacités auditives et l'empêcher de parler correctement.

Un enfant ayant commencé à parler normalement peut, par la suite, entendre beaucoup moins bien pour les mêmes raisons. Il est assez fréquent que ni les parents ni les médecins ne s'en aperçoivent. L'enfant vous comprend parce qu'il en a l'habitude et s'aide éventuellement du mouvement de vos lèvres. Mais il est quelquefois irritable, difficile, et a des défauts de langage dont il ne se sort pas.

Je me permets d'insister : dans les stages que j'anime, j'ai conseillé à deux familles de faire faire cet examen au vu des défauts de prononciation que présentaient leurs enfants d'environ 4 ans. Il s'est avéré que les deux avaient une audition diminuée de 60 %. Ils ont été opérés. L'un est redevenu gai et calme alors qu'il était irritable, et quelques séances d'orthophonie ont eu raison de ses problèmes de langage. Le second n'a même pas eu besoin de l'aide d'une orthophoniste tant sa prononciation s'est améliorée rapidement : voir les mots écrits lui a été encore plus profitable qu'à un enfant qui n'a pas de problèmes (voir p. 69).

Ces précautions prises, vous pouvez vous lancer sans aucune arrière-pensée dans l'apprentissage naturel du langage écrit avec votre enfant. Il ne peut qu'en tirer des bienfaits.

2. Les premiers mots : la technique

Il suffit au tout jeune enfant d'entendre le mot *papa* pour qu'il tourne la tête vers la porte par laquelle ce dernier a l'habitude d'entrer. Parce que l'entourage a souvent désigné le père en prononçant *papa* assez fort et distinctement, le symbole oral lui est devenu tout à fait familier. Pour qu'il puisse reconnaître le symbole écrit *papa*, qui n'est pas plus abstrait que le symbole oral, il suffit de le lui écrire aussi grand et épais qu'on le lui a articulé distinctement et fort. Voici, tout de suite, la technique concernant les premiers mots écrits que vous donnerez à l'enfant. Je sais par expérience que c'est ce que vous attendez en premier lieu, bien que ce ne soit pas l'essentiel !

Dans « Notre démarche » (p. 15), j'ai expliqué pourquoi nous ne commençons pas par les lettres. Toutefois, beaucoup d'enfants ont appris spontanément à 2, 3 ou 4 ans à les reconnaître, grâce aux jeux télévisés (*Les Chiffres et les Lettres* ou *La Roue de la fortune*). Comme d'autres enfants, Benoît, 2 ans et demi, les a apprises parce que ses parents avaient laissé traîner le Scrabble® et qu'il leur a demandé : « Et ça, qu'est-ce que c'est ? » en brandissant chaque fois une lettre. Ses parents lui ont répondu (distraitement car ils bavardaient avec des amis) et un jour ils se sont aperçus qu'il les connaissait presque toutes.

Il n'est donc pas nécessaire de connaître les lettres pour commencer à apprendre à lire, mais ce n'est pas non plus gênant. Nombre de parents me disent : « Vous commencez par des mots... Ce qui m'ennuie, c'est qu'il connaît ses lettres ! » Ne vous tracassez pas et répondez toujours à ses questions. Ce qu'il a appris spontanément ne peut, en aucun cas, le gêner par la suite.

La taille des étiquettes

L'idéal serait des bristols blancs (ou très clairs), de 25 cm x 6 cm, sur lesquels vous écrivez des mots à la main ou que vous imprimez à l'aide d'un ordinateur. Les étiquettes doivent être suffisamment épaisses (qualité optimale : environ 300 g) pour le confort de l'enfant et pour éviter absolument que l'encre ne les transperce et qu'il ne perçoive le mot « en miroir » au verso. Vous pouvez tenter de les obtenir gratuitement dans une imprimerie qui vous les découpera dans des chutes. Sinon, utilisez du bristol A4 (240 g) dans lequel vous découperez cinq étiquettes.

L'intérêt des étiquettes

J'utilise des étiquettes pour trois raisons :

• au début, il est indispensable que le mot soit isolé pour que l'enfant puisse prendre conscience que tel mot écrit correspond à tel mot oral (ou tel objet) et pas un autre. Il ne peut pas à son âge isoler des mots dans un texte. La taille des caractères, indiquée un peu plus loin, facilitera la mémorisation visuelle ;

• ces étiquettes sont mobiles et seront très utiles pour former les premières phrases, s'amuser à permuter et substituer rapidement sujets et compléments, ainsi que pour accompagner efficacement l'enfant lorsqu'il commence à comparer des mots ;

• en les classant selon la lettre initiale, vous retrouverez facilement celle(s) dont vous avez besoin suite à une remarque de l'enfant. Ce classement lui permettra aussi de percevoir le son de certaines lettres.

Le marqueur

Utilisez un gros feutre noir ou foncé ; il en existe maintenant sans odeur. Le modèle grandeur nature (voir p. 48) vous permettra de juger de l'épaisseur du trait.

J'insiste sur le fait qu'il est important que l'écriture soit épaisse : cela doit frapper l'œil de l'enfant. Une écriture grande mais fine qui ressemble à de la dentelle ne permettrait pas à l'enfant de mémoriser le mot.

La couleur

Le seul impératif est que la couleur utilisée tranche fortement sur le papier clair : noir, vert foncé, bleu foncé... donc pas de rose sur blanc, même si c'est la couleur préférée de votre enfant.

Dans les foyers bilingues, adoptez une couleur différente (foncée) pour une seconde langue.

La taille des caractères

Si vous écrivez à la main, les lettres *o, a, u*... font 1,8 à 2 cm de haut sur les étiquettes découpées à l'avance. Veillez à écrire au milieu de l'étiquette afin d'avoir suffisamment de place pour les hampes et les jambages. Si vous avez du mal au début, fabriquez-vous un gabarit en carton épais de 1,8 cm qui vous permettra de tracer rapidement deux lignes horizontales au milieu de l'étiquette.

Si vous écrivez à l'ordinateur, utilisez une police de type Avant Garde (Mac) ou Comic Sans MS (corps 72) – espacement un peu étendu – aligné à gauche – interligne 1,5. Imprimez sur bristol A4 (240 g) cinq mots par page et découpez les étiquettes. (Les caractères écrits à l'ordinateur sont un peu plus petits ; c'est normal.)

Ne centrez pas le mot, mais commencez à gauche de l'étiquette ; cela vous permettra de former les premières phrases en faisant chevaucher un peu les étiquettes.

N'écrivez pas les tout premiers mots devant l'enfant : il voudra lui aussi écrire avec ce gros feutre et risquera de ne prêter aucune attention au mot lui-même. D'autre part, si vous n'êtes pas encore expert, il n'aura sans doute pas la patience d'attendre que vous ayez fini d'écrire et s'en ira ailleurs. Il est important d'écrire devant lui dès qu'il sera curieux de savoir comment s'écrit tel ou tel mot. Vous prononcerez alors chaque syllabe dès qu'elle apparaît (*cho-co-lat*), mais vous prononcerez toujours le mot normalement par la suite.

papa

abcdefghijklmnopqrstuvwxyz

L'écriture

L'écriture utilisée est le script. C'est l'écriture couramment employée dans les livres d'enfants et d'apprentissage de la lecture au CP. Or notre but est de donner très vite à l'enfant la joie de retrouver des mots connus dans ses livres, ensuite de les lire lui-même.

L'écriture liée est douce et jolie, mais, constituée d'un fil ininterrompu, elle ne permet pas à l'enfant d'isoler les lettres. Pourtant, dans beaucoup de grandes sections de maternelle, on écrit des mots en écriture liée (on dit aussi « anglaise » ou « cursive* »). Si votre enfant a 5 ans et qu'il désire copier certains mots, vous pouvez lui faire le modèle en écriture liée sur une feuille en lui expliquant que l'écriture liée sert à écrire et que l'autre est celle qu'on trouve dans les livres. Ouvrez un de ses livres et constatez ensemble... Sachez que l'enfant n'éprouvera aucune difficulté à lire l'écriture cursive après avoir appris à lire en script. Vous pouvez avantageusement écrire les mots « de l'école » sur des étiquettes, si l'enfant le souhaite.

Julie, 5 ans, a demandé à sa mère (avant que celle-ci ne lui donne des mots) : « Pourquoi la maîtresse écrit comme ça [écriture liée] ? » Et montrant ses livres : « Tous mes livres sont comme ça [imprimerie]... Je ne peux pas apprendre à lire avec cette maîtresse ! » La maman a bien fait de répondre que l'écriture de la maîtresse sert à écrire et de lui donner des mots en script qu'elle puisse retrouver dans ses livres.

L'alphabet script (reproduit p. 48) est celui que nous utilisons et qui est utilisé dans la plupart des maternelles.

Optez pour le *a* tout rond, plus facile à tracer et utilisé dans la plupart des livres d'enfants. Vous remarquerez un peu plus tard que votre enfant n'aura aucun mal à reconnaître le mot *maman* s'il le rencontre ainsi. S'il vous fait une remarque, vous lui répondrez que cette lettre peut aussi apparaître de cette manière.

Remarquez que l'écriture scripte est constituée uniquement de ronds et de bâtons. Pensez donc à former les *p* et autres lettres similaires d'un cercle complet et d'une barre et non d'un demi-cercle et d'une barre, afin que les lettres que l'enfant enregistre soient similaires à celles qu'il trouvera dans ses livres. Les hampes (faites-les suffisamment longues!) et les jambages, les accents et les points sont des repères graphiques importants à ce stade. Ils donnent aux mots leur allure caractéristique : *papa* et *éléphant* sont plus faciles à reconnaître que *macaron*.

IL EST BEAUCOUP PLUS DIFFICILE D'APPRENDRE À LIRE TOUT EN MAJUSCULES, CAR TOUTES LES LETTRES SONT CONTENUES ENTRE DEUX LIGNES... RIEN NE DÉPASSE ! C'EST BEAUCOUP MOINS LISIBLE. Les enfants plus grands y arriveront lorsqu'ils voudront lire une bande dessinée. Cela ne veut nullement dire qu'il ne faut pas apprendre les lettres majuscules. Nous le ferons un peu plus tard, quand l'occasion se présentera.

À l'école de Constance (3 ans et demi), les prénoms sont écrits en majuscules aux portemanteaux. Son papa lui a dit simplement qu'on peut aussi écrire son prénom « comme ça » (en script) et il lui montre tous les mots qu'elle demande dans cette écriture.

Le choix des mots

Quel mot donner à l'enfant pour commencer ? Son prénom bien sûr. L'enfant est très centré sur lui-même. Ensuite, sans doute : *maman*, *papa*, personnes familières, animaux préférés, jouets préférés, aliments préférés, mots-clés de livres préférés, mots liés à un événement ou une activité (anniversaire, Noël, cirque...). J'insiste. Il s'agit bien de lui donner au départ des mots qui ont un sens affectif très fort pour lui et, bien sûr, les mots qu'il demande. Ils sont écrits sans l'article ; celui-ci sera introduit au moment de construire les premières phrases.

Un enfant de 4 ans peut très bien vous demander les prénoms de ses petits camarades avant *papa* ou *maman*. Ne soyez pas déçu, c'est fréquent ! Certains enfants ne veulent que des prénoms au début : ils en ont une vingtaine, quelquefois quarante. Il est souhaitable de mettre une majuscule aux prénoms. Il faut toujours donner à l'enfant l'information exacte ! Dans certaines écoles, on les élimine pour « ne pas compliquer les choses ». Agir ainsi est à mon avis une erreur. La majuscule est un signe particulier qui, au début de l'apprentissage, facilite la reconnaissance du mot.

Cependant, si son institutrice n'utilise pas la majuscule, vous pouvez toujours vous conformer momentanément à sa pratique. Quand vous aborderez plus tard les majuscules en jouant, l'enfant sera fier d'en mettre une à son prénom.

Du plaisir avant tout

Pour que le cerveau de l'enfant puisse mémoriser visuellement un mot, il faut que celui-ci lui procure du plaisir ou qu'il soit intéressant. On peut l'expliquer très schématiquement : une partie du cerveau, le système limbique, joue un rôle fondamental dans l'assimilation des informations ; il détecte les informations intéressantes, nouvelles ou qui créent un état agréable, et favorise la réception des informations en stimulant les zones concernées du cortex[20]. Donc, si vous montrez à un enfant le mot *chocolat*, il y a toutes les chances que son cerveau limbique envoie un message stimulant au cortex qui, lui, va retenir ce mot plus facilement que le mot *épinards*, par exemple.

Benoît, 4 ans, enregistrait les mots à une vitesse incroyable, surtout les noms d'animaux (son papa est vétérinaire)... sauf *lapin*. Sa mère ne comprenait pas pourquoi et mit trois semaines à trouver la raison : Benoît avait, vers 18 mois, perdu son nounours chéri dans une exposition. Ses parents ont tout fait pour le retrouver. En vain. Ce nounours a été remplacé peu après par un lapin en peluche...

Les mots composés

Grand-père, bonne-maman, jus d'orange, etc., s'écrivent sur une seule étiquette. On ne peut pas couper *Père Noël* ou *Saint Nicolas* en deux !... À ce stade, l'enfant assimile le nom à la personne et n'a pas encore conscience du rapport entre les lettres et les sons.

S'il dit « bouquet de fleurs » en voyant l'étiquette *fleur*, écrivez tout de suite *bouquet de fleurs*.

20. Gabriel Racle, *La Pédagogie interactive*, Retz, 1983.

Les mots étrangers

Écrivez tous les mots que l'enfant vous demande, même s'ils ne sont pas français comme *Playmobil*, *Smarties*... S'il vous demande un mot dans une autre langue (foyers bilingues), écrivez-le-lui dans une autre couleur.

N'écrivez pas *pantalon* si votre enfant a l'habitude de nommer ce vêtement *jogging*. Il ne faut lui donner à lire, pour le moment, que des mots faisant partie de son vocabulaire oral.

Les mots longs ou compliqués

La longueur d'un mot (très long ou très court) peut constituer une aide à le reconnaître. Tant mieux ! Seul compte l'intérêt de l'enfant pour le mot.

Une petite fille demande le mot *échographie*. Sa maman est enceinte et on parle beaucoup d'échographie en ce moment à la maison. Elle ne le lui a cependant pas donné, pensant que c'était un mot trop difficile. C'est un tort ! Aucun mot n'est difficile pour l'enfant à partir du moment où il l'intéresse. Ce mot-là est très particulier et l'enfant l'aurait mémorisé sans doute aussi facilement que les autres. De plus, c'est un mot très intéressant qui pourra bientôt être comparé à *pharmacie*, *photo*, *Sophie* ou *téléphone*... et lui permettra de découvrir le *ph*. Écrivez au pluriel les mots que l'enfant a l'habitude d'utiliser au pluriel : *lunettes, chaussures, chaussettes*...

Les surnoms

Élodie a l'habitude d'appeler grand-mère *ti-mère* et grand-père *ti-père*. Vous pouvez parfaitement écrire ces surnoms. Tout comme *doudou, nounours*, etc.

Utilisez les surnoms, mais ne parlez pas « bébé » à votre enfant. Utilisez les termes exacts. Il adore les mots nouveaux ou compliqués qui enrichiront son vocabulaire.

Les noms que l'enfant prononce mal

Lucas (22 mois) dit bien « Lucas » quand il le voit écrit, mais quand on lui demande : « Comment tu t'appelles ? », il répond toujours : « Ca. »

Surtout, n'hésitez pas à écrire correctement des mots qu'il prononce très mal. Votre enfant profite d'autant plus de voir les mots écrits qu'il a un retard de langage ou une difficulté de prononciation. L'important est qu'il comprenne et reconnaisse les mots qu'on lui donne. (Voir « Il parle mieux », p. 68.)

Évolution de la taille des caractères

Écrire des mots grands et isolés est très utile, surtout au début, mais il ne faut pas se limiter aux étiquettes. Voir des mots connus écrits plus petit et de couleurs différentes sur des supports variés stimule et amuse l'enfant, consolide les acquis et permet de varier les plaisirs. Pour le tout-petit, par exemple, l'étiquette *maman* était unique et liée directement à la personne ; il découvre avec étonnement puis avec joie que l'on peut écrire *maman* partout et autant de fois qu'il le souhaite. Vous continuerez cependant à écrire les mots nouveaux sur étiquette car ils « rentrent » beaucoup mieux lorsqu'ils sont écrits bien grand. Très souvent, les parents m'en ont fait la remarque.

Les étiquettes serviront aussi à former les premières phrases, mais bientôt on écrira plus petit dans un cahier, dans un répertoire, ainsi que nous le verrons plus loin. Si l'enfant a 5 ans et qu'il connaît les lettres, vous pouvez remplacer les grandes étiquettes par des bristols de 21 cm x 14,8 cm que vous coupez en trois dans le sens de la longueur. Cela vous donnera trois étiquettes sur lesquelles vous écrivez au feutre normal (enfants de 4-5 ans) : le corps de la lettre fait environ 8 mm de haut. Pour l'enfant de cet âge, les premières étapes seront de bien plus courte durée que pour les plus jeunes. Pensez à jouer très tôt et simultanément avec des mots, des lettres, des phrases, des sons, des syllabes, selon le goût de l'enfant.

3. Les premiers mots : la manière

Ayez toujours à l'esprit que si votre enfant a pu mémoriser des centaines de mots par l'oreille, il peut en mémoriser énormément par l'œil. Ce n'est pas difficile pour lui.

Pour communiquer, l'enfant a besoin de parler. Il a suffi de lui parler pour qu'il apprenne à parler. Tout son environnement a contribué à son apprentissage du langage oral. Comprendre l'écrit n'est pas encore pour lui une nécessité. Pour qu'il ait envie de lire, il faut donc susciter son intérêt afin qu'il trouve du plaisir à apprendre.

Intéresser

Il faut intéresser votre enfant ! Lui montrer dans la vie quotidienne que l'écrit tour à tour vous est utile, vous intéresse, vous donne du plaisir : courrier, journaux, recettes, livres, publicités, panneaux indicateurs, enseignes des magasins...

Votre enthousiasme prend une importance capitale. Pour intéresser un enfant, il faut d'abord aimer ce qu'on veut lui transmettre. Si montrer des mots et dialoguer à leur sujet constitue pour vous un devoir ou une corvée et non un plaisir, mieux vaut ne pas commencer et attendre tout simplement qu'il vous pose des questions sur l'écrit ou qu'il vous demande d'apprendre à lire. Si l'idée vous sourit, laissez-vous aller. Le plaisir de votre enfant sera votre seul guide.

Beaucoup d'enfants ont déjà la chance de voir en leurs parents une source inépuisable de savoir. Ceux-ci répondent aux mille questions qu'ils posent et suscitent leur intérêt pour le monde qui les entoure. Pour ces familles, la découverte du langage écrit avec l'enfant sera d'autant plus facile qu'elle sera naturelle.

Comment commencer ?

Proposez à l'enfant de marquer son prénom sur un de ses « dessins » et écrivez-lui sa première étiquette dans la foulée le plus simplement du monde : « Tiens, regarde ! J'ai écrit *Julie* [son prénom]. C'est pour toi. Si tu veux, demain, je t'en donnerai une autre. » Si l'enfant reconnaît déjà son prénom écrit, donnez-lui un autre mot en plus.

J'ai commencé début 1968 avec l'aîné de mes enfants, âgé de 2 ans. Comme il ne voulait pas rester plus de trente secondes sur le pot, j'ai pensé le distraire en lui montrant son prénom. Le lendemain, je lui ai montré en plus le mot *maman*. Ensuite, chaque fois que je le mettais sur le pot, il réclamait les mots. Les mots demandés avaient toujours pour lui une signification affective ou familière. Il y avait : *papa, nounours, camion, gâteau, vélo, avion, poireaux...* (Nous habitions près d'un aéroport devant un champ de poireaux.) Il prenait un plaisir fou à les regarder et à les reconnaître. Il applaudissait... Ce qui m'a poussée à lui montrer *bravo*...

Jean, 5 ans, regardait les mots sans enthousiasme. Un jour, il a surpris une cousine de 6 ans qui lisait un petit livre à sa sœur de 18 mois. Il n'a pas aimé qu'une fille soit capable d'intéresser sa sœur. Le fait de lui dire : « Si tu veux, tu pourras lire un livre à Cathie ; je vais te donner les mots » l'a beaucoup motivé. Quand il a vu que ces mots lui permettaient notamment de lire le petit livre à sa sœur, ravie que son frère s'occupe d'elle, il a voulu progresser très vite.

L'« attitude cadeau »

Soyez heureux de faire cela avec l'enfant. Montrez-lui les mots comme si vous lui nommiez les fleurs d'un magnifique jardin ! Ou donnez-les-lui avec le même enthousiasme que si vous lui montriez pour la première fois un kangourou dans un zoo.

Ne dites pas : « Je vais te faire un cadeau. » L'enfant s'attendrait sans doute à un paquet ! Je parle de l'« esprit cadeau » qui donne sans compter et sans rien attendre en retour. En nommant les objets pour votre bébé de 9 mois, vous lui donniez les mots (oralement) et vous les avez répétés souvent tout en sachant qu'il ne pourrait les restituer avant longtemps.

Combien de temps ?

Montrez le mot nouveau... le temps que l'enfant y prête attention. Certains ne le regardent qu'une seconde, d'autres le prennent en main, le regardent plus longuement, font des commentaires (nous y reviendrons), le tortillent, ou passent le doigt sur les lettres. Respectez la manière de chacun ! Et sachez que le coup d'œil de l'enfant remuant peut être aussi profitable qu'une manipulation plus longue.

Ne traînez pas. N'insistez jamais pour qu'il regarde. N'épelez pas le mot et ne faites pas de remarques à son sujet. En revanche, soyez très attentif à ses premières remarques : elles ouvrent la voie de l'analyse (voir « À la découverte des lettres et des sons [pour commencer] », p. 78). Passez à autre chose avant que l'attention de l'enfant ne se détourne. Vous risquez de l'ennuyer si vous êtes lent. S'il s'ennuie, il n'apprend rien !

Un mot peut parfaitement rester affiché une journée avec des aimants sur le réfrigérateur. On y fait allusion rapidement dans la journée. Mais ne l'y laissez jamais plus de deux jours ; il ferait « partie des meubles » et l'enfant ne le verrait plus.

Quand ?

Je connais des familles où les enfants veulent un mot avec leur bol de lait le matin ! Dans d'autres, cela se passe au moment du coucher. Une maman met le mot au bout du lit ; l'enfant le trouve à son réveil. Mais vous risquez d'être tiré de vos rêves au petit matin par votre chérubin qui veut savoir « ce qui est écrit » ! Dans la plupart des familles, c'est n'importe quand.

Sachez que certains enfants aiment une sorte de rituel. Mais ne demandez pas systématiquement au vôtre : « Quel mot veux-tu ? »

Au début, il vous indiquera des mots qui l'intéressent, mais un jour, n'ayant pas d'inspiration particulière, il vous dira *plafond, radiateur* ou n'importe quoi pour dire quelque chose, pour vous faire plaisir. Ce mot ne représentera rien pour lui et il ne l'enregistrera pas. Donc, variez votre approche. Ne le dérangez jamais s'il est pris par son émission préférée ! N'insistez jamais pour qu'il joue au « jeu des mots » : vous diminueriez ainsi son envie d'y jouer à un autre moment. Mais saisissez les occasions : donnez par exemple le mot *piscine* lorsqu'il s'y est bien amusé, *train* si le prendre a été pour lui un événement...

J'ai bien aimé la remarque de cette maman : « Profiter de temps en temps des cinq minutes qu'ils veulent vous accorder et s'en trouver satisfaite. »

Combien de fois ?

Certains enfants retiennent un mot qui leur plaît, même s'ils ne l'ont vu qu'une fois. Mais il est normal qu'un enfant ait besoin de voir un mot une dizaine de fois avant de le mémoriser. Pour vous situer, il est bon qu'il reconnaisse grosso modo les quatre cinquièmes des mots que vous lui avez montrés, ou les trois quarts. Il n'est pas nécessaire qu'il retienne tous les mots qu'on lui donne, mais il ne sert à rien de lui donner des dizaines de mots s'il n'en mémorise pas le tiers.

Certains mots ne sont pas retenus par l'enfant, même s'il les a demandés lui-même. Il peut être intéressé par *sorcière* pendant quelques jours au moment du carnaval, mais plus du tout ensuite. Éliminez-les pour le moment. Cela n'a aucune importance. La langue française comporte suffisamment de mots pour que l'enfant puisse apprendre à découvrir le code* uniquement avec ceux qu'il aime.

Comment s'y prendre au début ?

• Montrez un mot nouveau en étant attentif aux éventuels commentaires ou réactions. Si les circonstances s'y prêtent et si l'enfant semble intéressé, montrez-lui, en les nommant avec enthousiasme, quelques mots précédents. Sachez qu'il apprend si vous lui donnez l'information qu'il ne possède pas encore ou pas bien, mais qu'il déteste le rabâchage de ce qu'il sait !

• Ou : jouez avec quatre ou cinq étiquettes pour permettre à l'enfant de mémoriser le mot nouveau et ceux qu'il connaît moins bien. Pas plus de deux à trois minutes. Davantage un peu plus tard avec l'enfant qui insiste beaucoup.

Exemples :

• « On cache le mot ? » Cachez le mot parmi plusieurs autres empilés (quatre au début) et invitez l'enfant à le retrouver. « Bravo ! c'est... » En le nommant, vous donnez l'information !

• ou montrez en le nommant le mot nouveau, puis posez-le parmi quatre étiquettes étalées et demandez à l'enfant de le repérer parmi les autres ; mélangez les étiquettes et recommencez ;

• ou étalez les étiquettes ; chacun à son tour en prend une et la nomme ;

• ou retournez les étiquettes, mélangez-les, prenez-les une à une et identifiez-les. Si l'enfant insiste beaucoup, vous pouvez utiliser plus de mots, mais arrêtez toujours avant qu'il ne soit lassé. Pensez à changer de jeu lorsque l'enthousiasme baisse.

• Félicitez souvent et chaleureusement. Ne laissez jamais l'enfant hésiter, aidez-le.

Il n'est pas nécessaire de jouer immédiatement après l'introduction du mot nouveau. Ce n'est pas toujours possible ! Le plus important est de saisir les bonnes occasions d'en donner. Permettez à l'enfant d'inventer ses propres jeux. Vous en trouverez (p. 73) toute une série au choix. Les jeux les plus courts sont les meilleurs.

• Trois bonnes maximes pour toute activité concernant la lecture :

– ne jamais insister pour que l'enfant regarde un mot ou pour qu'il joue avec vous ;

– ne rien proposer si vous sentez que l'enfant n'en a pas envie ; il peut être bon de cacher les mots pendant plusieurs jours ;

– toujours arrêter avant que l'enfant ait lui-même envie d'arrêter ; vous ne le tiendrez que mieux en haleine !

• Ces moments avec votre enfant doivent être courts et très

joyeux. Vous partagez cette activité avec lui pour son plaisir, alors ne le lui gâchez pas ! À tout moment, faites en sorte qu'il soit heureux, gagnant. Si la réussite crée la motivation, l'échec la tue.

Le rythme

Il est plus risqué d'aller trop lentement que trop vite. Trop lentement : vous engendrerez l'ennui, ennemi numéro un. Si l'enfant mémorise bien les mots nouveaux, donnez-lui-en un nouveau à chaque fois. En allant trop vite, vous risquez uniquement que certains mots lui passent par-dessus la tête, ce qui n'est pas grave. Une courte séance par jour, si possible, pour l'enfant passionné. Deux séances de jeu par semaine seront mieux adaptées aux parents qui travaillent ou à l'enfant moins intéressé. Petit à petit, mettez de côté les premiers mots archiconnus. Vous les utiliserez bientôt pour faire des phrases.

Les erreurs d'identification

Les enfants se trompent dans l'identification des mots. C'est normal. Nous verrons plus loin que les erreurs leur permettent presque toujours de progresser. Il est important d'être toujours positif au moment d'une erreur. Si l'enfant se trompe, ne lui dites jamais : « Non, ce n'est pas ça ! » ou : « Tu t'es trompé. » Dites-lui plutôt, par exemple : « Tu m'as donné *chocolat*, voici *cheval* » ou : « Je te donne *cheval* » ou encore : « C'est *chocolat*, voilà *cheval* ! » avec le sourire ! S'il se trompe alors qu'il a déjà identifié plusieurs fois le mot auparavant, c'est le signe qu'il n'a pas envie de continuer. Riez de la « farce » qu'il vous fait, arrêtez immédiatement et changez-lui les idées.

Informer, ne pas interroger

Beaucoup d'enfants n'aiment pas se tromper. N'interrogez le vôtre que lorsque vous êtes sûr qu'il connaît la réponse (et encore !...

Certains enfants détestent qu'on les interroge). S'il hésite, ne le laissez pas réfléchir, soufflez-lui le mot tout de suite.

L'enfant adore apprendre, mais il n'aime pas qu'on l'interroge. D'ailleurs, il n'apprend rien lorsqu'on l'interroge. Souvenez-vous, notre but est de l'aider, pas de le coller. Il trouve toujours un moyen de montrer ce qu'il sait et il est important de lui en laisser l'initiative.

Faire confiance

Il faut faire confiance à l'enfant. Avoir confiance dans ses possibilités, qui sont immenses. Lui proposer sans jamais imposer. Accepter qu'il ne prenne que ce qui lui plaît.

Il apprend souvent une chose différente de celle que vous voudriez qu'il apprenne. Il apprend à sa manière. Aussi est-il important de prendre conscience de ce qui l'intéresse. Les parents sont étonnés de constater que, même s'ils arrêtent de « jouer aux mots » pendant quelques semaines, l'enfant ne les oublie pas, du moins ceux qui ont été suffisamment utilisés.

Précisions importantes

• Donnez-lui en priorité les mots qu'il demande. Mais ne lui donnez, au début, qu'un mot nouveau à la fois. Les mots arrivés au même moment au cerveau sont confondus entre eux. Ce ne sera plus vrai, dans quelque temps, dès que l'enfant aura pris quelques repères phonologiques, c'est-à-dire lorsqu'il connaîtra la valeur sonore de certaines lettres. Vous pourrez alors lui en donner progressivement plusieurs à la fois. À ce stade, s'il insiste pour en avoir plusieurs, promettez-le-lui pour plus tard dans la journée et tenez vos promesses ! Ainsi, les mots seront différenciés. Mais n'hésitez pas à écrire tous les mots qu'il vous demande sur un bout de papier (8 mm) ou au tableau.

• Veillez à ce que l'enfant soit face aux mots. Au début, c'est important. Car cela ne le dérangerait pas du tout d'apprendre à lire à l'envers. Un célèbre éditeur anglais, sir Henry Bradley, ancien président de l'*Oxford English Dictionary*, a appris à lire à l'envers parce qu'il se trouvait sur un petit banc face à sa grand-mère qui lui lisait le livre qu'elle avait sur les genoux en passant le doigt sous les mots.

• Nommez le mot normalement. Ne détachez pas les syllabes ! Il s'agit seulement à ce stade de reconnaître des symboles. La vision du mot doit susciter une image dans l'esprit de l'enfant. Qu'il prenne la bonne habitude de voir le mot en entier et de le comprendre ! C'est le but de la lecture.

• Les étiquettes-mots doivent être laissées à la disposition de l'enfant. Pour en préserver l'attrait, il doit apprendre à les respecter comme il respecte ses livres : on les prend quand on veut sans les laisser traîner partout ni les déchirer.

• Ne vous laissez pas aller à la tentation d'interroger votre enfant pour montrer ce qu'il sait à sa grand-mère ou à des amis. Il n'est pas un petit singe ! S'il a lui-même envie de montrer ses mots, laissez-le faire. S'il aime le jeu des mots, il ne manquera pas de le faire un jour ou l'autre.

• Pour terminer, si votre enfant vous dit, comme Sébastien : « Tu me donnes deux mots, sinon je ne te laisse pas partir ! », ne vous laissez pas faire. Mais tant mieux, si l'enfant est demandeur, c'est la preuve que vous vous débrouillez très bien et qu'il aime ça !

Que faire si...

... vous devez arrêter de lui donner des mots pendant quelque temps : ne vous inquiétez pas, s'il les a bien appris (avec plaisir), il ne les aura pas oubliés. Si, toutefois, il semble les avoir oubliés, il suffira d'un seul rappel pour qu'il s'en souvienne.

... votre enfant prête ses jouets aux petits copains qui viennent à la maison, mais refuse de prêter ses mots : c'est déjà le signe qu'il y tient. Faites quelques mots pour les amis. Cela donnera peut-être envie à leur maman de venir vous voir et de s'informer sur ce jeu qui attire leurs enfants.

Maintenant, voyons l'effet que produisent ces premiers mots écrits sur nos petits.

4. Du côté des enfants

P ar leurs réactions, les enfants nous révèlent leurs stratégies d'apprentissage. Voici ce qu'ils nous apprennent.

Un mot = un objet

Aurore (2 ans) avait les mots *maman* et *bus*. Elle avait réclamé ce dernier parce qu'elle adorait prendre le bus. Il lui plaisait beaucoup et elle le reconnaissait bien.

Ensuite, sa maman lui a proposé :

– Est-ce que tu veux qu'on écrive *Aurore* ?

– Oh oui ! *Auyore* ! *Auyore* !

Elle était toute contente et l'a vite mémorisé. Un autre jour :

– Est-ce que tu veux qu'on écrive *Carole* [sa grande sœur] ?

– Non !

– *Alexandre* ?

– Non !

– *Monique* [sa nourrice] ?...

– Non !

Tout à coup, elle a dit :

– *Cécile* [sa petite copine].

Elle a pris l'étiquette *Cécile*, l'a embrassée et l'a mise dans le lit avec elle.

En effet, tout comme un simple bâton lui tient lieu de cheval, le jeune enfant substitue volontiers le mot à la personne ou à la chose elle-même. Cela s'estompe spontanément dès que l'enfant utilise davantage de mots écrits. En attendant, profitons de ces moments délicieux !

Je ne peux résister à l'envie de vous donner quelques autres anecdotes qui m'ont été rapportées par les parents.

Anaïs (3 ans) avait les mots *lit* et *mimi* (sa poupée). Elle a demandé *couette*, avant de jouer à mettre *mimi* sur le *lit* et à la couvrir avec *couette*.

Christelle (3 ans et demi) avait *poney*. On a mis *grand-père* sur le *poney*, le *chat* sur le *poney*. Tout le monde y est passé ! D'autres ont pris le mot *tartine* et ont mis *beurre* et *confiture* dessus, puis ont demandé *jambon*, *fromage*, *nutella* pour continuer à jouer.

Le Pr Ragnhild Söderbergh relate dans son livre[21] que sa fille (2 ans et demi) faisait le tour de la pièce en poussant le mot *landau* devant elle.

Laëtitia (3 ans) a fait plein de baisers sur le mot maman. Julie (3 ans) a porté le mot téléphone à son oreille, comme un combiné.

J'ai moi-même vu Pierre (moins de 3 ans) lécher sur toute sa longueur le mot *sucette* qu'il m'avait demandé.

Un jour, Marie (4 ans), qui a quelques mots, se dispute avec sa sœur Cécile. Furieuse, elle va chercher le mot *Cécile*, le déchire et le met à la poubelle !

Caroline (2 ans et demi) a perdu son chat qui s'appelle Lune. Elle a gardé l'étiquette *Lune* dans son lit plusieurs jours. La maman de William et Julia m'a dit au cours de notre deuxième réunion : « Je n'ose pas montrer mes étiquettes parce qu'elles sont sales. Elles ont beaucoup servi : le mot *gâteau* est allé plusieurs fois au four, la *glace* dans le réfrigérateur. »

La maman de Lucas (2 ans) raconte : « Ce matin Lucas s'est amusé avec les étiquettes : il a mis *jambon, kiri, danette, glace* dans le frigo, a mis *pain* au four pour le faire cuire et *biscuit* dans la boîte des biscuits. Trop marrant ! »

Et des dizaines de petits garçons ont fait « vroum-vroum » avec les mots *camion* et *voiture*.

Un mot = un idéogramme

À ce stade, chaque mot est perçu comme un idéogramme, c'est-à-dire comme un dessin particulier qui représente une personne ou une chose. En voyant le mot, l'enfant évoque la personne ou la chose. C'est si vrai qu'il lui arrive de dire *Mistigri* en voyant *chat*. C'est très courant. Il faut simplement lui dire : « Ceci est *chat* et voici *Mistigri* »

---

21. *Op. cit.*

en lui donnant le mot nouveau. Même chose pour *papa* et le prénom du père, *pain* et *tartine*, *mer* et *plage*, *judo* et *kimono*, etc.

Ce genre d'erreur – qui n'en est pas une à ce premier stade de l'apprentissage ! – disparaît spontanément dès que l'enfant prend des lettres pour repère, en général la première.

Cédric (4 ans) confond *Gilles* et *Martine*. Apparemment, on ne voit pas pourquoi. Cependant, à y regarder de plus près, on s'aperçoit que Gilles et Martine sont mari et femme, oncle et tante de l'enfant. Souvenez-vous, la reconnaissance des mots est idéographique : derrière le dessin des mots, il y a les personnages que l'enfant a tout simplement interchangés. Lorsqu'il connaîtra le son du *m*, il ne se trompera plus... Il saura que c'est *Martine* parce que ça commence par un *m*.

Victor (3 ans et demi) s'étonne de ce que le mot *train* soit plus petit que le mot *locomotive*. Dès qu'il découvrira qu'il peut couper *locomotive* en syllabes orales et que ces syllabes correspondent à des syllabes écrites, il aura compris.

L'enfant construit des hypothèses depuis qu'il est né ; ses erreurs l'obligent à en formuler d'autres continuellement. Rien de plus naturel.

Les premiers repères visuels

L'enfant reconnaît le mot à son allure générale ou à un signe particulier. Par exemple, *Noël* sera reconnu facilement à cause du tréma, *Jean-Luc* grâce au trait d'union. C'est tout à fait normal au début.

Pour reconnaître un mot au début de l'apprentissage, l'enfant va tout naturellement – et c'est intelligent – retenir ce qui le distingue des autres. Ce peut être un accent, la première lettre, une lettre doublée, mais aussi une tache sur le support ou un coin corné. C'est une stratégie que tous les jeunes enfants utilisent continuellement. Pourquoi se fatigueraient-ils à retenir plus qu'il n'est utile ?

Un instituteur de maternelle (classe unique) avait cru bon d'ajouter une gommette adhésive différente à côté de chaque prénom de la classe dans le but d'en faciliter la reconnaissance. Il a enlevé les gommettes progressivement et plusieurs enfants ont eu du mal à reconnaître leur prénom. Certainement pas parce qu'ils sont moins intelligents que les autres. Au contraire. Marine était de ces enfants-là : la gommette lui suffisait. Elle n'avait besoin pour reconnaître son étiquette que de regarder la gommette. Marine n'a eu aucune difficulté à assimiler quantité de mots ensuite (sans gommettes !). Il lui était nécessaire de regarder les mots pour les reconnaître.

Donc, les « aides » fabriquées par des adultes peu confiants dans les capacités des enfants et croyant leur faciliter l'accès à l'écrit, ces aides sont en fait des obstacles à la lecture. L'enfant apprend précisément ce qu'il y a à apprendre.

En revanche, s'il connaît *chocolat* et rencontre *cheval*, il sera obligé pour les distinguer de prendre un repère supplémentaire au *ch* initial. (Ces premiers pas dans la découverte du code* feront l'objet d'un chapitre suivant.)

Les premiers repères auditifs

Isabelle (4 ans) a une quinzaine de mots. Au goûter, elle dit à sa maman qui lui verse de la grenadine : « *Grenadine*, c'est comme *Nadine*. » Il faut approuver, féliciter l'enfant et écrire tout de suite sur n'importe quoi – papier, tableau – les deux mots pour permettre à l'enfant de se rendre compte que l'analogie auditive correspond à une analogie visuelle. (Ce sujet est développé dans « À la découverte des lettres et des sons [pour continuer] », p. 101).

Il affectionne certaines lettres

Les enfants aiment certaines lettres : *z, i, k*... généralement celles qu'ils rencontrent le moins souvent ou les plus caractéristiques. Laure n'est pas contente parce qu'elle n'a pas de *i* dans son prénom alors que sa sœur Camille en a un. Un vrai drame ! En général, ils aiment tous la première lettre de leur prénom. D'ailleurs, la plupart des enfants, lorsqu'ils reconnaissent une lettre qu'ils aiment ou qu'ils connaissent bien parce qu'elle fait partie d'un mot préféré, l'identifient à ce mot : Julie (2 ans ; quinze mots) pointe le *i* dans *camion* et dit : « Julie là » ; elle nous explique que *i* fait partie de *Julie*.

Rémi (25 mois) ne parle pas, mais aime ses étiquettes-mots. Il en reconnaît une vingtaine. Sa maman me raconte que, un haricot restant dans son assiette, Rémi descend de sa chaise et l'entraîne vers le tableau. Elle croit comprendre et lui propose d'écrire *haricot*. Il observe, puis pointe le doigt sur le *i* avec un immense sourire qu'il adresse à sa maman. « Ouiii ! Tu as vu le *i* comme dans *Rémi* ? » Il pose aussi son index sur des *i* dans ses livres.

En voyant *week-end*, l'enfant dira : « C'est *Winnie* » ; il essaie de vous dire que c'est un *w* comme dans *Winnie*, ce qui n'est déjà pas si mal lorsque l'on n'a que 2 ans et demi !

Sur l'autoroute, Florian (3 ans), voyant un « F » sur beaucoup de voitures, est ravi : « Regarde, papa, c'est marqué *Florian* sur les voitures ! »

Claire (3 ans et demi), remarquant le panneau « 50 m », dit : « Regarde, c'est *maman* là ! » En effet, au début, la première lettre représente souvent le mot entier.

Il refuse certains mots

La cause en est presque toujours psychologique.

Lénaïc (2 ans et demi) va avoir un petit frère. Il refuse les mots *ventre* et *bébé*. Ça ne lui plaît pas du tout qu'un petit frère vienne lui prendre sa place auprès de maman. Il faut éliminer ces mots : de toute façon, on peut apprendre à lire sans eux.

« Ma fille refuse les mots contenant un accent circonflexe. Catégoriquement. Il y a probablement un mot qu'elle n'aime pas du tout contenant un accent circonflexe. J'ai fini par écrire *gâteau* sans accent. » NON ! Il vaut mieux ne pas donner *gâteau* que de donner à l'enfant un mot qui n'est pas écrit correctement. Les informations erronées que vous lui donnez s'impriment dans son cerveau aussi facilement que tout le reste. L'enfant prend les erreurs avec la même ardeur qu'il apprend les choses justes.

Romain (4 ans et demi) refuse le mot *anniversaire* qui lui a été donné lors de l'anniversaire de son frère. Il ne l'aurait certainement pas refusé s'il l'avait reçu au moment du sien !

Il ne sait plus rien

La maman de Thierry-Marc (5 ans) s'est aperçue qu'il la « faisait marcher » : il dit souvent n'importe quoi quand elle lui demande d'identifier des mots, mais ne se trompe jamais lorsqu'il les montre à ses copains !

Il est arrivé souvent que des parents me disent : « Il ne sait plus rien. Pourtant, il ne se trompait jamais. » J'ai beau avertir – qu'il ne faut pas ressasser, qu'il faut lui faire confiance, qu'il faut répondre à ce qui l'intéresse, qu'il faut varier les activités, que l'enfant aime ce qui est nouveau, que l'enfant lira *éléphant* pour *papa* le plus sérieusement du monde si vous lui demandez trop souvent la même chose –, les parents se font trop souvent prendre au piège ! Si vous ennuyez les enfants, ils sont naturellement armés pour résister. Ils vous mènent en bateau en vous répondant n'importe quoi, en fermant les écoutilles pour se protéger.

Ils sont en train de vous faire comprendre le plus poliment du monde qu'il est temps de changer de disque ! Laissez-les tranquilles un moment et... relisez ce livre !

Il apprend à lire aux autres

Benoît (3 ans) est très occupé : il apprend à lire à sa chienne, ravie qu'on s'occupe d'elle. La scène est plutôt cocasse : le petit bonhomme en face d'une montagne de poils. Il lui montre ses mots un à un en les nommant. Quand il n'est pas sûr, il se tourne vers sa mère en demandant tout bas : « Et ça, c'est quoi ? » Sa mère entre dans le jeu et lui chuchote la réponse. C'est bien pratique pour elle : cela lui permet de se rendre compte exactement des acquisitions de son fils, sans le tester, et de lui donner les informations qui lui manquent.

C'est *chocolat*... Ismaël (3 ans) montre le mot à son chat. Adèle apprend à lire à Panda et à sa petite sœur de 8 mois, comme la plupart des enfants de moins de 4 ans apprennent à lire à leur nounours ou autre peluche préférée. Profitez de ces moments attendrissants !

La maman de Megumi (3 ans) est japonaise, son papa français. Il apprend à lire en japonais (hiragana), mais traduit les mots en français lorsqu'il les montre au chien !

Chloé (4 ans), ayant perçu les cartes-mots comme des cadeaux, a voulu en faire à ses amies en donnant à chacune son prénom.

Il parle mieux

Florence (2 ans et demi) parle bien, mais transforme tous les *f* en *p*. Elle ne prononce correctement que son prénom. Arrive la naissance d'un petit cousin, Foucaud. Toute contente, elle parle de *Poucaud* toute la journée. J'ai conseillé à sa mère de lui donner l'étiquette *Foucaud*. L'effet fut immédiat : elle l'a regardée, a dit : « C'est comme *Florence*... C'est *Foucaud*, maman ! » Depuis, elle le dit toujours correctement.

Beaucoup d'enfants disent *oiture*. Il est intéressant d'écrire ces mots qu'ils prononcent mal. Lorsqu'ils remarquent que *voiture*, c'est comme *vélo*, ils se mettent généralement à prononcer le *v* de *voiture*.

Xavier (4 ans) intervertit des syllabes et dit par exemple *gamasin* pour *magasin* et *macarade* pour *camarade*. Depuis qu'il regarde les mots écrits, il en décompose certains et les dit correctement. Non seulement de nombreux parents m'ont fait remarquer que leurs enfants perdaient petit à petit des défauts de prononciation, mais d'autres (ainsi que des orthophonistes) m'ont fait part de progrès significatifs en langage oral du fait de voir les mots écrits. (Voir aussi le chapitre sur les enfants handicapés, p. 164.)

Lucas (2 ans) a dit *bajon* pour *jambon* jusqu'au jour où il l'a vu écrit. Depuis, il prononce « jambon » et montre le *j* en disant *Juju*. Traduisez : c'est comme *Juju*, le héros favori de son mensuel.

Il découvre de l'écrit partout

Les premiers mots sensibilisent l'enfant à l'écrit, à tel point qu'il le découvre partout et demande ce qui est écrit sur les emballages, dans la rue... Il est fier de retrouver des mots connus dans ses livres, et même dans le journal.

Jean (4 ans) a déjà 130 mots et adore rechercher des mots connus dans les magazines.

Adeline (3 ans) est plongée dans le journal : « Montre-moi où c'est écrit *Récré A2* !... Montre-moi où c'est écrit *Dorothée* ! »

Souvent, les parents me disent : « Je n'ai pas fait grand-chose, mais il est devenu curieux » ou : « Il demande ce qui est écrit partout » ou encore : « Il veut que j'écrive "en mots" sous ses dessins. » Dès que Julie (2 ans ; 30 mots) tombe sur un carnet ou un bout de papier blanc, elle demande qu'on lui écrive des mots qu'elle connaît : « Éki *poupée* là. Enco, là... et *Chloé* [sa petite sœur] là ! »

Nicolas (3 ans et demi) accompagne sa maman accueillir une tante à la gare. Il a demandé avec insistance comment s'écrivent *train* et *gare*. Mieux vaut avoir papier et crayon sur soi !

L'enfant, même au début de l'apprentissage, va essayer ou faire semblant de lire l'écrit qu'il rencontre. Par exemple, il dépliera le papier du Carambar et « lira » consciencieusement à sa grand-mère : « Là, c'est écrit *ca-ram-bar* », alors que personne ne lui avait montré le mot auparavant. Il est important que l'adulte soit attentif, félicite l'enfant et lui réponde en lui donnant l'information exacte, car il prend très souvent une marque pour son objet : *yaourt* pour *Yaco*®, *lait* pour *Lactel*®, *eau* pour *Evian*®, etc.

Sur un parking d'autoroute Olivier (2 ans et demi) a un besoin urgent et remarque : « Regarde maman, il y a un *p*, on peut faire pipi ! »

Julie (2 ans) pointe son petit doigt sur le début de « Junior » (sur la voiture de son papa) : « Julie, là ! » Il suffit de répondre : « Oui, c'est comme *Julie* ! C'est *Junior*. »

Loïc (4 ans) vient voir sa maman avec un fil de fer tordu et lui demande ce que c'est. La maman hésite, donne plusieurs réponses. « Tu n'y es pas du tout, maman, c'est un *s* comme dans *sapin*. »

Une maman raconte : « Un jour, Antonin m'a dit à l'oreille : "Maman, je te dis un secret : maman, je t'aime." Le lendemain, je lui ai donné le mot *secret*. Depuis, lorsqu'il veut me dire quelque chose tout bas – c'est sa marotte en ce moment –, il ne dit rien et va chercher l'étiquette *secret* pour me la montrer. Ensuite seulement, il me murmure son message à l'oreille. » Antonin a compris que l'écrit sert à communiquer.

Un papa : « Nous avons écrit dans la neige. Laurent était fou de joie de voir son prénom écrit dans la neige. »

Une maman : « Aujourd'hui, Lucas [21 mois] n'a pas voulu dormir à la sieste, alors nous sommes allés faire un tour sur la plage. Il a trouvé un bout de bois, a fait un tracé dans le sable et a dit : "Cri Juju." Je lui ai demandé : « Tu as écrit *Juju* ? » et il m'a dit « oui ». Je l'ai félicité et j'ai moi aussi écrit *Juju*. Un peu plus tard, tout en se promenant sur la plage, il s'est arrêté et m'a redemandé d'écrire *Juju*. »

Moi-même, j'ai souvent écrit sur le sable mouillé les prénoms, des mots et des messages que les enfants s'amusaient à lire avant qu'ils ne soient effacés par la mer.

Nous avons donné l'impulsion en donnant quelques mots qui ont un caractère affectif pour l'enfant et, peu à peu, il fait le lien entre les mots qu'on lui donne et l'écrit qui l'entoure. Il s'aperçoit que l'écrit est significatif. Il aime voir les mots qu'il connaît bien écrits plus petit sur des supports différents. Il est très important de ne pas se limiter à la lecture sur étiquettes ! Nous verrons dans le chapitre suivant comment rendre l'écrit de plus en plus fonctionnel*.

5. L'écrit au quotidien

Il est souhaitable que l'enfant utilise le plus tôt possible l'écrit dans la vie quotidienne. Voici quelques idées :

• Faites-lui mettre les places à table avec des étiquettes.

• Demandez à un proche d'envoyer une carte sous enveloppe adressée au nom de l'enfant écrit grand et en script.

• Faites-lui découper et coller, ou écrire s'il en est capable, son prénom sur une carte postale que vous postez avec lui. Racontez-lui le voyage de la carte. Demandez au destinataire de téléphoner à l'enfant lorsqu'il aura reçu son courrier. Plus tard, il « écrira » de courtes lettres.

• Accrochez de petites étiquettes aux cadeaux de Noël indiquant le nom de leur destinataire. Le Père Noël écrit même en lettres d'or ! L'enfant sera très fier de les distribuer.

• Écrivez le menu sur le tableau dans la cuisine. Ce sera l'occasion de mots nouveaux. (Réflexion d'une maman : « Aïe, aïe, aïe ! Je ne pourrai pas lui donner *purée* tous les jours ! »)

• Proposez-lui de libeller ses dessins (utilisez un feutre, caractères 8 mm environ) et de les signer. Bientôt, il vous le réclamera.

• Proposez-lui sa liste de courses lorsque vous l'emmenez au supermarché : deux ou trois mots au début. Plus tard, attendez qu'il vous la réclame !

• Écrivez plus grand et en script sur le pense-bête de la cuisine. (La maman de Romain [4 ans] avait écrit *bibliothèque* sur le tableau de la cuisine sans le faire remarquer à son fils. L'enfant, en rentrant de l'école, lui a demandé : « Alors, maman, t'as été à la bi**bi**othèque ? »)

• Faites-lui repérer ses émissions préférées dans le programme TV.

• Étiquetez avec lui ses boîtes de rangement : crayons, Lego®, petites voitures…

• Si vous faites des confitures ou mettez des aliments au congélateur, écrivez un peu plus grand sur les étiquettes pour qu'il puisse en profiter. Permettez-lui de les coller.

• Vous faites un gâteau avec lui : écrivez les ingrédients. Plus tard, vous écrirez toute la recette.

• Répondez à son intérêt pour des mots de la rue : *stop, danger, auto-école, entrée, sortie, pharmacie, taxi, boulangerie, parking, chien méchant, défense d'entrer, bus...* N'attirez pas vous-même son regard sur tous les panneaux : il ne s'intéresserait plus à rien !

• Proposez-lui de faire avec lui la liste des trésors à emmener en vacances.

• En voyage, donnez-lui sur des étiquettes des noms de villes à repérer sur la route. Amusez-vous à repérer les voitures de nationalités différentes (F, N, B...).

• Écrivez-lui si vous vous absentez.

• Faites ensemble des invitations pour un goûter d'anniversaire.

• Lorsqu'il sera capable de jouer au jeu du détective (voir p. 110), vous pourrez écrire (0,5 cm environ) sous sa dictée (reformulez ce qu'il dit !) de courtes missives à des proches, en écrivant les mots dans le désordre sur des étiquettes autocollantes. Ensuite, vous lui dicterez chaque mot qu'il devra prélever et coller sur une carte postale ou une « lettre ». Expliquez ce que vous écrivez sur l'enveloppe. C'est une activité très gratifiante pour l'enfant.

• Bientôt, vous l'aiderez à utiliser le courrier électronique. Demandez à un proche de lui envoyer un mail en utilisant la police Comic Sans MS 28. Il sera très fier ! Vous répondrez ensemble en utilisant le plus souvent possible des mots qu'il connaît.

Cette habitude d'intégrer l'écrit dans la vie quotidienne donne à l'enfant l'occasion de bien comprendre son utilité.

6. Les premiers jeux

Ils visent à consolider et à augmenter le capital-mots et sont à proposer en début d'apprentissage. D'autres jeux indiqués plus loin seront plus utiles lorsque l'enfant sera entré dans l'analyse des lettres et des sons.

L'utilisation des mots par l'intermédiaire du jeu permet de mieux les mémoriser. Sélectionnez les jeux les plus adaptés à l'âge et au caractère de votre enfant. Certains enfants en ont davantage besoin que d'autres.

N'essayez jamais de forcer l'enfant à jouer. Variez les jeux et n'en abusez pas. Arrêtez avant que l'enfant ait lui-même envie de le faire. Un enfant peut adorer un jeu... mais tout lasse ! Même le plus beau jouet !

Pour tous

• Étalez les étiquettes. Proposez à l'enfant d'un prendre une et de la nommer chacun à votre tour. Veillez à choisir une de celles que l'enfant connaît moins bien : ainsi, lorsque vous lui donnerez l'information, il apprendra. N'oubliez pas qu'il n'apprend rien si vous lui demandez ce qu'il ne sait pas : vous risquez même de provoquer un sentiment d'échec, si minime soit-il.

• Retournez les étiquettes mélangées et tirez-les une à une chacun à votre tour. Ne laissez pas l'enfant hésiter, soufflez-lui la réponse.

• En famille. Le père dit : « Je voudrais le mot... » Remerciez ! La grand-mère : « Je voudrais le mot... » Le grand frère, etc. Le très jeune enfant est heureux de donner les mots, de les distribuer.

• Jeu de la marchande. Vous achetez les mots à l'enfant (éventuellement avec des sous !). À un certain moment, demandez un mot que l'enfant ne possède pas. Il vous le « commandera » pour le lendemain. Attention ! Ne jouez pas trop longtemps.

• Proposez de mettre les étiquettes en deux tas : ce qu'on peut manger et ce qu'on ne peut pas manger. (Profitez-en pour redire les mots.)

• Même principe que ci-dessus. Classez les mots par séries : personnes, animaux, jouets, ce qu'on peut faire (verbes)... Créez vos séries.

• Sachez devenir l'élève et laissez l'enfant « jouer à la maîtresse ». L'enfant montre les mots et vous les nommez. Pour ceux qu'il ne connaît pas bien, c'est très utile. Trompez-vous sur un mot qu'il connaît bien. Il sera ravi de vous corriger !

• Faites apparaître les mots un à un. Donnez à l'enfant un petit objet qu'il place devant vous s'il veut que vous disiez le mot, et qu'il garde devant lui s'il veut le dire lui-même. Ce jeu permet de se rendre compte exactement des mots pas ou peu connus sans que l'enfant se sente en échec.

• La maman de Marie (2 ans et demi ; 50 mots) a sélectionné dans le coffret-imagier du Père Castor les images correspondant aux mots qu'elle connaît. Le jeu est complété par des photos de tous les membres de la famille. Au dos de chaque image, le mot est écrit petit. Les jeux se font avec une dizaine de paires images/mots. Les mots sont étalés et Marie pose à côté de chacun l'image le représentant ou inversement. Avec les mots les plus connus, seules les images sont utilisées. Elles sont étalées, la face « écrite » sur le dessus. Marie et sa maman demandent à tour de rôle une carte que l'autre doit retrouver et lui donner.

Pour les enfants qui ont besoin de bouger

• Johann est un enfant qui a besoin de bouger beaucoup. Les mots sont étalés sur la moquette. Sa maman lui dit : « Saute au-dessus de *lapin* », « Mets-toi à côté de *purée* », etc.

• Pour Aurore (2 ans), le tapis représente la piscine, et ses étiquettes-mots les personnes, les peluches et les jouets qu'elle aime. Un jour, elle a mis tout le monde dans la piscine. Sa maman lui propose : « Tu mets X dans la piscine ? » Elle court chercher l'étiquette correspondante et la jette dans la piscine. Un autre jour, elle met tout le monde au lit de la même manière... ou elle distribue ses étiquettes à la demande à toutes les personnes présentes, poupées et nounours compris.

• Mes enfants avaient une épicerie avec comptoir fabriquée par leur papa. J'écrivais sous leur dictée la liste de ce qu'ils souhaitaient acheter. Sur les petites étagères, nous avions étiqueté : *pâtes, lessives, confitures, fromages, biscuits*, etc. Ma petite Sophie s'amusait beaucoup avec les pancartes « ouvert » et « fermé ».

• Sans être aussi équipé, on peut jouer à la marchande, comme Laëtitia. Sur la table de la cuisine, sa maman a disposé : *pommes, oranges, bananes, noisettes, biscuits, yaourts, nouilles*... Dans la pièce à côté, elle prend un petit panier et une liste que son père lui donne : deux bananes, une orange, etc. Arrêtez à temps !

Pour jouer avec plusieurs enfants

• Toutes les étiquettes sont étalées face cachée. Chacun à son tour en retourne une et essaie de la lire. S'il réussit, il la prend. Sinon, quelqu'un d'autre la lit et on la remet au milieu jusqu'à ce qu'il n'y ait plus d'étiquettes à retourner.

• On place en rond autant de mots que d'enfants. Les enfants tournent autour des mots. À un signal (ou quand la musique s'arrête), chaque enfant prend le mot devant lequel il se trouve. Le premier qui l'a placé sur l'objet correspondant a gagné.

Pour les plus grands

• Vous pouvez utiliser n'importe quel jeu que vous possédez comprenant des images et y associer les mots correspondants sur des étiquettes (écriture épaisse, au moins 6 mm).

• Jeu adulte/enfant. Écrivez les mots que l'enfant possède sur étiquettes en deux listes de même longueur. Mettez les étiquettes en pioche. Chacun à son tour tire un mot, le lit – aidez l'enfant s'il ne sait pas, ne le laissez pas hésiter – et le prend s'il appartient à sa liste. Celui qui le premier a tous les mots de sa liste a gagné.

• Jeu type Memory®. Écrivez des mots connus et moins connus en double sur de petits bristols (la lettre *m* fait 1 cm). Chacun à son tour en retourne deux. Si c'est une paire (deux fois le même mot), il la prend. Sinon, on remet les cartes au milieu. À la fin, celui qui a le plus de paires a gagné. (Sophie, 4 ans, me battait à tous les coups à ce jeu !)

Ne pas oublier de dire chaque mot qu'on retourne, le but du jeu étant d'apprendre des mots. Au début, ne jouez qu'avec peu de paires à la fois ; augmentez peu à peu.

Les jeux du commerce ou sur Internet

Les enfants aiment varier les supports pour apprendre. Mais veillez à vérifier qu'un jeu ne soit pas en contradiction avec ce qui est proposé ici. Il n'est pas possible de conseiller un jeu plutôt qu'un autre – leur durée de vie sur le marché étant souvent courte. Si vous souhaitez obtenir un conseil concernant l'utilité d'un jeu, il vous est possible d'obtenir un avis en vous adressant par courriel à : courrier@lebonheurdelire.org.

Les premiers jeux oraux

• Prendre conscience qu'on peut couper les mots oralement est une des premières capacités à acquérir et sera utile pour appréhender la notion de la syllabe. Voici un jeu utile pour y parvenir.

Il consiste à dire un mot puis à frapper dans les mains en le décomposant oralement : *ma-man, pou-pée, pa-pi-llon, Ca-ro-line* (dans le Midi, ce mot comporte quatre morceaux), *pou-ssette* (dans le Midi : trois morceaux). Remarquez que les mots ne sont pas coupés en syllabes, mais en unités de souffle. À l'enfant de 4-5 ans, vous pouvez proposer de « couper des mots en morceaux avec la bouche ». Bientôt, on le fera avec des ciseaux. Dès que l'enfant est capable de décomposer un mot sans votre aide, le jeu n'a plus d'utilité.

• Le jeu de l'écho permet à l'enfant de prendre conscience par l'ouïe du son de la voyelle (simple ou complexe) à la fin des mots, ainsi que de la rime finale (et des assonances*). Vous proposez un mot, l'enfant le répète et fait écho sur un rythme de trois : *maman-an-*

an, jardin-in-in, gâteau-eau-eau, loup-ou-ou, mouton-on-on, groseille-eille-eille, pizza-a-a... Ce jeu n'a d'autre prétention pour l'instant que d'aider l'enfant à repérer des sons par l'oreille. Un peu plus tard, il lui sera très utile pour identifier un « son ».

D'autres jeux sont proposés à la fin des chapitres : « Les premières phrases » (p. 92) ; « À la découverte des lettres et des sons (pour continuer) » (p. 101) ; « À la découverte de la syllabe » (p. 132).

7. À la découverte des lettres et des sons (pour commencer)

L'expérience nous apprend que l'enfant mémorise des mots écrits avec une facilité étonnante, à condition que ceux-ci soient :
– isolés et adaptés à ses possibilités perceptives (grande écriture scripte) ;
– chargés d'affectivité ou intéressants ;
– et/ou proposés dans des situations ludiques.

Pour les reconnaître, il prend des repères visuels (le moins possible !). Certains parents se plaignent qu'il ne prenne souvent comme repère que la première lettre ou un accent. C'est, rappelons-le, une tactique tout à fait courante et intelligente ! L'enfant est amené à modifier son comportement au fur et à mesure que son capital-mots augmente.

Les remarques visuelles

Très tôt et spontanément, l'enfant remarque des similitudes entre les mots nouveaux qui lui sont proposés et ceux qu'il connaît déjà. Le plus souvent, il commence par faire des remarques d'ordre visuel. Ainsi, il vous dit en voyant *pompier* : « C'est comme *papa*. » S'il est très jeune, il dira : « *Papa* » ou « *Papa*, là » en pointant le *p*. Sophie (4 ans) remarque par exemple : « *Sophie*, c'est pareil que *éléphant*. »

En fait, l'enfant compare les mots qu'il connaît et ceux qu'il voit autour de lui dans la rue ou sur les emballages.

« Alors que nous étions arrêtés dans un rayon du magasin de bricolage, Lucas [20 mois], assis dans le chariot, se met à faire "vroum-vroum" en nous désignant le mot "peinture". Il m'a fallu deux secondes pour faire la relation entre *peinture* et *voiture* qu'il connaît bien ! »

Il faut toujours féliciter et encourager l'enfant qui fait une remarque. Dès qu'il manifeste son intérêt pour une lettre (souvent au début du mot) ou remarque un groupe de lettres (par exemple, *ca*, *ette* ou *eau*), il faut saisir l'occasion et lui permettre de progresser dans sa découverte.

L'objet de ce chapitre est de montrer comment utiliser les remarques de l'enfant pour l'aider à découvrir le son habituel de lettres ou de groupes de lettres.

L'identification d'une lettre

L'enfant remarque, par exemple, que *vélo*, c'est comme *voiture*. Félicitez-le chaudement et proposez-lui de chercher ensemble parmi les mots qu'il possède d'autres mots qui commencent comme *vélo*. Vous trouvez *Victor, vacances*. Placez les mots les uns sous les autres et prononcez-les en insistant légèrement sur le *v* : *vélo, voiture, Victor, vacances...* Proposez à l'enfant de vous montrer « où c'est pareil » et jouez ensemble à prolonger le son pour rire : *vvvélo, VVVictor, vvvoiture...* Puis demandez-lui de fermer les yeux et d'écouter la lettre qui fait *vvv*. Redites les mots en insistant sur le son initial.

Isolez la lettre en la lui donnant sur un petit bristol que vous rangerez dans une boîte spéciale qu'on nommera « boîte de lettres ». Félicitez-le de connaître la lettre qui fait *vvv...*

À d'autres moments, encouragez-le, si besoin, à rechercher autour de lui des mots qui commencent par la lettre qui fait *vvv* (ou toute autre lettre identifiée) : sur les emballages, dans la rue, dans ses livres... Félicitez-le et prononcez le mot en prolongeant la lettre initiale : *Vvvolvic*.

Avoir découvert la relation graphème-phonème de quelques lettres (les consonnes initiales sont les plus faciles à percevoir) constitue une étape très importante dans le processus d'apprentissage. L'enfant a découvert le « principe alphabétique ».

Remarques
1. **Important** : lorsque l'enfant a appris spontanément le nom des lettres (jeux, télévision, chanson...), on les nomme *a, bé, cé... eff...*

comme dans l'alphabet. Mais s'il ne les connaît pas encore, vous nommerez les voyelles qui chantent (*a i é o u*) alors que, pour les consonnes, vous parlerez des lettres qui font *fff, mmm, rrr, sss...* pour celles que l'on peut prolonger (elle font un bruit) et des *p', t', b', d', k', g'* (de gâteau) qui font un bruit très court. Jamais de *pe, re, fe, be...* !

2. Supposons que votre enfant connaisse la lettre *m* et commence à percevoir le son produit habituellement par cette lettre avec *maman, Marie, mamie, miel*. S'il vous fait remarquer que dans le mot *jambon* « il y a un *m* », répondez simplement : « Oui, c'est vrai, il y a un *m*. » Mais vous ne pouvez pas profiter de cette remarque comme s'il avait découvert cette lettre dans le mot *chemin* dans lequel il pourrait l'entendre. Votre rôle à ce stade est de l'aider à percevoir le son habituel des lettres et non à lui enseigner que « souvent on entend le son *mmm* mais quelquefois on ne l'entend pas ».

L'erreur d'identification... une chance !

Il arrive que l'enfant se trompe dans l'identification d'un mot : il dit, par exemple, *maman* pour *maison*. Il peut être excusé ! Ces deux mots sont presque de même longueur et, à part le point du *i*, rien ne dépasse ! Les première et dernière lettres sont identiques... Dites-lui simplement : « C'est *maison* et voici *maman* que tu connais bien » (montrez le mot).

Soyez toujours positif : « Tu as raison, c'est pareil là... mais là ce n'est plus pareil. » Lorsque l'enfant se trompe, montrez chaque fois les deux mots l'un après l'autre, puis l'un sous l'autre. Jouez à les reconnaître : il sera obligé de prendre un nouveau repère (ne lui demandez pas lequel !) jusqu'au moment où il découvrira le son *on* de *maison* ou le son *an* de *maman*. Dès lors, il ne confondra plus jamais ces deux mots.

L'enfant s'était trompé parce qu'il avait remarqué (sans l'exprimer) une similitude dans ces mots, notamment le *m* initial. Vous pouvez utiliser cette erreur exactement comme une remarque exprimée par l'enfant et procéder comme ci-dessus : « Si on cherchait des mots qui commencent comme *maman* », etc.

Si vous réagissez toujours de manière positive à une erreur, il n'éprouvera pas de sentiment d'échec et n'aura pas peur de se tromper. Mais soyez vigilant, il répondra n'importe quoi s'il en a assez. Arrêtez toujours à temps.

Vous remarquerez bientôt que l'enfant a toujours une bonne raison de se tromper et qu'une erreur est souvent utile ! Avec un peu d'habitude, en l'analysant, vous pourrez comprendre ce qui se passe dans sa tête et l'aider plus efficacement. Ne tombez cependant pas dans le piège de lui donner l'occasion de faire trop d'erreurs : il pourrait éprouver un sentiment d'échec qui lui ôterait pour un bon moment l'envie d'apprendre.

Le classement alphabétique des mots

• La boîte avec onglets

Adrien (4 ans), qui a quelques dizaines de mots, dit en voyant le mot *camion* : « C'est comme *avion*. » Génial ! Pour l'approuver et comparer les deux mots, il faut être capable de montrer *avion* instantanément. S'il vous faut farfouiller dans un tas d'étiquettes, Adrien perdra patience et s'en ira faire des choses plus intéressantes ailleurs.

Il est donc indispensable de classer les mots dans l'ordre alphabétique en ne tenant compte que de la première lettre.

Fabriquez facilement des onglets en découpant 26 petits bristols de la hauteur d'une étiquette, sur lesquels vous écrirez les lettres (majuscule et minuscule l'une au-dessous de l'autre). Vous les collerez (ou les agraferez) sur des étiquettes vierges qui serviront d'intercalaires, en laissant dépasser la lettre. Veillez à les décaler de manière à ce qu'ils soient visibles lorsqu'ils sont classés dans l'ordre alphabétique, comme un répertoire classique.

Ce classement vous servira évidemment à retrouver un mot rapidement lorsque l'enfant fait une remarque « c'est comme... ». Mais il peut permettre à l'enfant de comprendre que les lettres produisent un bruit lorsqu'il vous « aide » à ranger les mots qui commencent par une lettre qui produit toujours le même son.

Lorsque l'occasion s'y prête : « Oh ! là, là ! Quel bazar ! Tu m'aides à ranger les mots ? », laissez-le faire, mais, s'il a beaucoup de mots, ne le laissez pas se débattre trop longtemps dans une grande quantité d'étiquettes.

Vous sortez, par exemple, tous les mots qui commencent par une consonne qui fait toujours le même « bruit » et dont on peut prolonger le son *(m [mmm] v l f j n r s)*. « On cherche tous les mots qui commencent comme *maman* ? » Ajoutez une ou deux étiquettes très différentes pour que le jeu soit motivant. Posez au fur et à mesure les mots en colonne et prononcez-les en insistant un peu sur l'initiale – sans en avoir l'air... il ne faut pas que l'enfant sente que vous voulez lui enseigner quelque chose. C'est un jeu ! S'il ne lui plaît pas, n'insistez surtout pas. Arrêtez dès qu'il ne s'y intéresse plus. Rangez vous-même les lettres *a* (parce que le son *a* ne paraît pas toujours : *Aude, ambulance*), *c, e, g, i, o, t, u, y*. Les autres consonnes (courtes !) dont on perçoit le son difficilement (*p, t, b, d, k...*) seront utilisées plus tard. On commencera par la lettre de *papa*.

Un autre jour, vous proposez le jeu de l'intrus : posez quatre mots commençant par une lettre qui se prolonge (insistez oralement sur l'initiale : *V*ictor, *v*oiture, *v*élo, par exemple) et ajoutez-en un très différent (*gâteau*, par exemple). Proposez à l'enfant d'enlever celui qui est mal rangé. N'oubliez pas de le féliciter !

Ce classement aidera l'enfant à prendre conscience du son habituel de certaines lettres. En effet, si *bébé, bateau, biberon, banane* se suivent dans sa boîte, il apprendra facilement le son que fait la lettre *b*.

Remarque : L'enfant rangera éventuellement le mot *nez* derrière l'intercalaire du *z*, parce que c'est cette lettre caractéristique qui avait attiré son attention. De même, Adèle a classé le mot *anorak* à la lettre *k*, qui est plus intéressante que la lettre *a*.

Tout prétexte est bon pour parler des lettres et des mots ; l'erreur est toujours utile ! Ce rangement familiarise aussi l'enfant avec l'alphabet et préfigure, en quelque sorte, celui du dictionnaire.

• Le répertoire

Si l'activité lui plaît, un moyen efficace pour permettre à l'enfant de découvrir le son habituel des lettres est de classer ses mots avec lui dans un répertoire – un peu particulier – en fonction du son de la lettre initiale. Il lui permet également de visualiser les mots écrits plus petit, comme dans ses livres. L'enfant s'initiera aussi inconsciemment à l'ordre alphabétique. Remarque : si le vôtre connaît déjà le son des lettres et s'il est capable de répondre à la question « De quelle lettre ai-je besoin pour écrire *lune* ? », par exemple, ce répertoire est superflu.

Fabrication du répertoire (il ne se trouve pas dans le commerce !)

Fournitures : un petit cahier de 96 pages (de bonne qualité), ciseaux, ruban adhésif, onglets imprimés (en annexe 1), étiquettes adhésives.

• Photocopiez les onglets sur une feuille bristol.
• Découpez l'alphabet sur les traits prévus à cet effet, en laissant ensemble chaque majuscule avec sa minuscule + le carré blanc.
• Collez le bristol comprenant [A a] en haut et à cheval sur le bord de la première page en faisant dépasser les lettres et en le recouvrant d'un ruban adhésif sur toute sa longueur, devant et derrière, pour qu'il soit moins fragile.
• Laissez la deuxième page. La première reçoit les mots qui commencent par a et dont on prononce le /a/ (*Agathe, abricot...*), la deuxième tous les mots mélangés dont on ne prononce pas le /a/ (*Aude, ambulance...*).
• Collez le petit bristol [B b] sur la troisième page, de la même manière que le [A a], mais en prenant soin de le placer juste au-dessous, de manière que l'onglet [A a] soit visible.
• Collez l'onglet [C c] sur la quatrième page, en dessous du [B b], pour les mots se prononçant comme *Catherine, cadeau, cubes, crocodile...*

• Laissez les trois pages suivantes :
   – une pour : *Cécile, cinéma, citron, cerise...* ;
   – une autre pour : *chocolat, cheval, chat...* ;
   – une autre pour : *Chloé, chorale, Christelle...*

Procédez ensuite de la même manière pour les autres lettres en prenant soin de prévoir :

   – deux pages pour la lettre *e* : une pour *école, éléphant, Éléonore...* ; une pour les mots *entrée, enfant...* ;
   – deux pages pour *g* : *garage, gâteau, glace...* ; et les autres mélangés : *Gilles, girafe, gelée...* ;
   – deux pages pour *i* : *igloo, île...* ; et : *indiens, interdit...* ;
   – deux pages pour *o* : *Olivier, orange...* ; et : *ours, oui, oiseau...* ;
   – deux pages pour *p* : *papa, pompier, Pierre...* et : *Philippe, pharmacie, photo...* ;
   – deux pages pour *y* : *Yves...* et : *yaourt, Yannick...*

Comment l'utiliser

Pour comprendre le son habituel d'une lettre, l'enfant a besoin, au début, de plusieurs exemples. Il est en effet facile de comprendre le son du *m* avec *maman, mamie, mouton, miel...* en colonne, le *m* étant bien aligné.

Pour commencer, choisissez une consonne qui peut être prolongée (*mmm, lllll, sssss*) et pour laquelle l'enfant possède au moins trois mots. Écrivez-la soit à la main au feutre ordinaire sur les étiquettes autocollantes (la lettre *o* fait environ 0,5 cm) ou préparez-la sur un fichier de votre ordinateur en Comic Sans MS (corps 28).

Après avoir sélectionné la page (placez une feuille blanche derrière celle-ci afin que l'enfant ne voie pas tous les onglets en même temps), proposez lui de vous montrer tel mot, puis tel autre. Collez-les au fur et à mesure, l'initiale bien alignée le long de la marge. Si l'enfant est en âge de le faire lui-même et que l'activité lui plaît, proposez-lui de prendre tel mot et de le coller. Renommez rapidement les mots de la colonne en insistant oralement sur la première lettre. Invitez-le à vous imiter en prolongeant l'initiale : « *Mmmaman, mmmamie...* Quel bruit fait la lettre de *maman* [ou la lettre *m* si l'enfant connaît déjà son nom] ? » Donnez vous-même la réponse si besoin : « Oui, elle fait *mmm*. »

Une autre fois, choisissez une autre consonne (qui ne produit qu'un seul bruit) pour laquelle vous possédez au moins trois mots. Et ainsi de suite...

Lorsque vous revenez sur une page pour y introduire un mot nouveau, proposez à l'enfant de vous montrer tel ou tel mot de la page. (N'oubliez pas de le féliciter !) S'il ne le fait pas spontanément, relisez vous-même quelques mots de la page en les montrant du doigt et en insistant un peu sur l'initiale.

Petit à petit, l'enfant sera capable de retrouver lui-même la page sur laquelle il faut coller un mot. Sélectionnez vous-même la partie A-I ou J-R... pour lui faciliter la tâche.

Cette activité doit lui faire plaisir. N'obligez jamais l'enfant à quoi que ce soit, valorisez-le et arrêtez toujours avant qu'il se désintéresse.

Collez et lisez vous-même s'il n'en a pas envie. Il apprend en vous regardant ! Sinon, il s'intéressera spontanément plus tard à ce répertoire... que vous aurez laissé traîner.

Les abécédaires

Un abécédaire est utile, surtout si vous n'avez pas confectionné de répertoire. Et dans ce cas, il devrait comporter au moins les minuscules d'imprimerie ou scriptes, ainsi que les majuscules d'imprimerie, mais aussi des mots ou une phrase qui illustre chaque lettre, aidant à la prise de conscience du son qu'elle produit. Par exemple : *Bébé boit son biberon.*

Où en est-il ?

Afin de savoir si votre enfant a compris le son habituel de quelques lettres, vous pouvez faire le petit jeu-test suivant.

Alignez trois consonnes dont on peut prolonger le son et que vous avez utilisées au début de « L'identification d'une lettre » (voir p. 79). Écrivez quelques mots nouveaux (intéressants quand même !) commençant par ces lettres sur de petits bristols, mais ne les montrez pas. Dites, par exemple : « Avec quelle lettre dois-je écrire le mot *sssoupe* ? » S'il montre la bonne lettre, félicitez-le et posez le mot sous la lettre ; poursuivez avec un autre mot au hasard. Sinon, placez-le simplement vous-même sous la bonne lettre et poursuivez. Arrêtez le jeu s'il ne donne pas la bonne réponse à la troisième lettre. Il n'a peut-être pas compris la consigne.

L'identification d'un son

L'enfant remarque, par exemple, que *bonbon* c'est comme *cochon*. Félicitez-le et utilisez le même procédé que pour une lettre découverte ci-dessus : on recherche ensemble si on a déjà des mots qui font *on* (on trouve *ballon, Manon...*).

On les aligne verticalement et on les nomme en insistant sur le son terminal. (Souvenez-vous : pour que l'enfant puisse concevoir qu'une lettre ou qu'un groupe de lettres correspond à un son, plusieurs exemples lui sont nécessaires au début.)

C'est le bon moment pour jouer au jeu de l'écho (voir p 77). On répète la rime du mot sur un rythme de trois : *ballon-on-on, Manon-on-on...*, ce qui l'aidera à isoler le son *on*.

Au début, il ne voit généralement des similitudes qu'au début et à la fin des mots, rarement au milieu. Les premières maisons concernent généralement une syllabe en situation initiale : **ma***man*, **ma***mie*, **Ma***rie*... **ca***deau*, **ca***rotte*, **ca***mion*. Voici quelques suites de lettres souvent repérées en premier : *ca, ma, ba, ch* en début de mot ; *ette, eau, on, age* en fin de mot.

Les maisons

Je propose de classer dans des « maisons » ce qu'on nomme communément les sons (*eau, on, ch...*) et suites caractéristiques de lettres (*ette, ine, eur...*) découverts par l'enfant, ainsi que les toutes premières syllabes qu'il remarque facilement au début des mots (*ma, pa, ca...*).

Pour cela, procurez-vous des pochettes en plastique perforées A4, dans lesquelles vous glisserez les feuilles « maisons ». Vous offrirez à votre enfant un joli classeur souple pour les contenir, sur lequel vous collerez une étiquette avec son prénom.

Tracez sur une feuille A4 une maison occupant toute la page, que vous photocopierez pour les suivantes, ou préparez-la sur votre ordinateur. Vous inscrirez dans le toit l'élément identifié : *on*, dans l'exemple précédent.

À la main : avec un feutre d'enfant ordinaire (noir), inscrivez le son *on* de l'exemple précédent dans le toit. Dans le corps de la maison, écrivez rapidement les mots les uns sous les autres, en lettres scriptes, l'élément reconnu étant toujours bien aligné. Le corps de la lettre fait 0,5 à 0,8 cm selon l'âge de l'enfant. (Surtout : laissez un bon interligne entre les mots. C'est plus important que d'écrire grand !) Dans les mois qui suivent, vous pourrez peu à peu diminuer la taille des mots jusqu'à 0,5 cm.

Avec un ordinateur : utilisez la police Comic Sans MS (corps 28) et imprimez les mots les uns sous les autres (interligne 1,5) directement sur la feuille-maison en veillant à bien aligner l'élément commun.

Voici quatre exemples de feuilles-maisons.

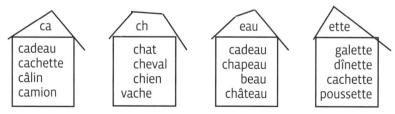

NB : Le mot *vache* peut être introduit dans la maison si c'est l'enfant qui a remarqué le graphème/phonème *ch* – car il lui est plus facile de remarquer *ch* au début du mot. L'important est que l'enfant fasse la relation écrit-oral.

Tous les enfants n'ont pas la patience d'observer l'élaboration d'une maison. Ce n'est pas grave ! Créez-la sans lui, toujours à la suite d'une remarque « c'est comme... », à l'occasion de laquelle vous aurez ressorti ou écrit le mot auquel l'enfant se réfère. Il est important d'accompagner ses découvertes ! Vous regarderez la maison ensemble plus tard.

S'il est en âge de le faire, l'enfant peut colorier au crayon de couleur (pas au feutre !) les *on* dans tous les mots : la même couleur dans toute la maison ! Mais il vaut peut-être mieux surligner vous-même l'élément identique dans chaque mot. Cela évite éventuellement des problèmes face à l'artiste ! (N'écrivez pas le « son » dans une couleur différente que le reste du mot : vous déformeriez son image visuelle et l'enfant aurait ensuite du mal à reconnaître ce mot dans un texte.)

Pour chaque maison créée, il est recommandé de choisir un **mot-clé** : le mot préféré de l'enfant – *maman* pour *an*, *sapin* pour *in*... (J'avais l'habitude d'encadrer ce mot dans une fenêtre de la maison et de lui dessiner des volets sommaires.) Ce mot-clé sera extraordinairement utile plus tard pour l'acquisition de l'orthographe.

Ajoutez des mots dans les maisons, au fur et à mesure que l'enfant les rencontre et tant qu'il ne connaît pas bien ce groupe de lettres.
Pour les mots qui viendront compléter une maison, vous pourrez soit les imprimer sur des étiquettes autocollantes et les ajouter dans la maison avec l'enfant, soit réimprimer la page.

Lorsqu'une maison contient au moins trois mots et si votre enfant a déjà fait une remarque auditive, vous pouvez suggérer juste après avoir ajouté le dernier : « Et si on cherchait des mots où on entend... »

Jouez éventuellement à la devinette. On écrit le mot sur un bout de papier. Si la graphie du son correspond à celle de la maison, on pourra ajouter le mot. Sinon, il ne pourra pas y entrer.

Les maisons sont créées **au fur et à mesure des besoins**. L'enfant enregistre très facilement une information à condition que celle-ci lui parvienne au bon moment. S'il a remarqué, par exemple, que *sapin* c'est comme *câlin*, vous ferez la maison des *in*. Lorsque vous tomberez sur *main* et *pain*, vous ouvrirez la maison des *ain*. Un jour, vous ouvrirez sans doute la maison des *ein* avec *peinture*... Il ne s'agit donc pas d'enseigner à l'enfant que le son *in* – ou tout autre son– peut se présenter de façons diverses : *in-im-ein-ain*..., mais de le renseigner au fur et à mesure de ses rencontres avec les mots.

La progression est déterminée par le hasard des remarques faites par l'enfant au sujet des mots qu'il rencontre[22].

Pour vous aider, j'ai établi la liste des principales suites de lettres fréquentes de la langue française que l'enfant doit avoir vues en CP. Avant, on ne s'intéresse qu'à celles qui sont suggérées par la progression de l'enfant (voir annexe 2, p. 217).

(Pour faciliter l'élaboration d'une telle liste dans une autre langue, je suggère de vous procurer un livre d'apprentissage traditionnel de la lecture dans cette langue et de repérer quelques mots usuels pour chaque groupe de lettres particulier. Le système est particulièrement utile pour l'anglais.)

Ne vous étonnez pas s'il remarque très tôt le *ph* de *pharmacie*, *Philippe*, *téléphone*. Ce n'est pas plus difficile à appréhender que *ba* ou *in* ! Ce n'est compliqué que dans notre tête d'adulte : nous n'avons sans doute appris ce son à l'école qu'à la fin de notre méthode de lecture !

Voici le moyen de ne jamais vous tromper dans l'élaboration des maisons : **dans chaque maison, l'élément identifié doit toujours**

---

22. Un exemple d'évolution des remarques vous est donné en annexe dans le journal de la maman d'Adèle (voir p. 222).

avoir la même orthographe correspondant à un même son. On ne pourra donc mettre dans une même maison : ni *carotte* et *cinéma* – même orthographe *(c)*, son différent – ni *maman* et *vent* – orthographe différente *(an, en)*, son identique.

Plus explicitement, pour les mots qui commencent par la lettre *c*, si nous avons *chat, chèvre, chocolat, château*... dans la maison *ch*, *canard, Coca-Cola®, câlin, cou*, etc., iront dans une autre maison, et *citron, Géline, ciel*, etc., feront partie d'une troisième maison. Un jour peut-être aurons-nous besoin d'une quatrième maison pour mettre *Christophe* et *Chloé* !

Remarque : si vous ne réalisez pas de répertoire – soit par manque de temps, soit parce que l'enfant ne semble pas accrocher –, il est particulièrement recommandé de créer les maisons des *c* ci-dessus lorsque l'occasion se présente.

Lorsque l'enfant a déjà plusieurs maisons, il est fier de remarquer qu'on peut mettre certains mots **dans deux maisons différentes**. Exemple : *poussette* pourra aller dans la maison du son *ette* qu'il a découvert en premier, mais également dans la maison des *ou* ! Il aime décortiquer, classer...

Remarque : le classement dans le répertoire vous dispense de faire des maisons pour la plupart des consonnes.

Le classement des maisons

L'enfant qui se passionne pour les maisons peut en avoir beaucoup.

Pour vous y retrouver facilement, classez celles que vous avez faites dans l'ordre alphabétique (en ne considérant que la première lettre !). Utilisez des intercalaires alphabétiques du commerce. À la lettre A, rangez par exemple les maisons des *an, ai, ain, au*...

Écrire devant l'enfant

Dès qu'il est intéressé par les mots eux-mêmes, il est très utile d'écrire devant lui, surtout les mots nouveaux que vous écrivez sur des étiquettes. Si vous êtes droitier, placez l'enfant à votre gauche afin que votre main ne cache pas ce que vous écrivez. Vous pouvez dissocier oralement les syllabes au fur et à mesure que vous écrivez le mot : *cho co lat.* (Mais lisez-le toujours normalement par la suite.) C'est le moment le plus propice pour que l'enfant fasse des commentaires au sujet du mot : « Tu écris comme *bateau.* » Alors approuvez, félicitez et montrez *bateau.*

En effet, les remarques jaillissent en général au moment où l'on écrit le mot pour la première fois. Dès qu'il est utilisé dans une phrase, l'esprit de l'enfant est préoccupé par le sens de la phrase. C'est normal et parfait !

Voyons tout de suite comment aborder les premières phrases, avant d'accompagner l'enfant plus avant dans l'analyse visuelle et auditive des mots, qui le mènera à la découverte complète du code*.

8. Les premières phrases

Que les mots soient le symbole de choses qu'il aime est pour l'enfant une grande découverte. Que l'on puisse « faire un train » avec les mots pour écrire une « histoire » est tout simplement magique ! Je vois encore François sauter de joie autour des premières phrases que nous formions avec ses étiquettes-mots.

Thomas (4 ans), à Toulouse, vient de découvrir qu'on pouvait « écrire des choses » avec les étiquettes. Alors que sa maman dort encore, il dispose sur la table de la cuisine, bien alignées, les étiquettes *Thomas aime maman*, puis va se recoucher. Sa maman en est encore tout émue lorsqu'elle me rapporte l'anecdote deux semaines plus tard.

Dès que l'enfant prend conscience qu'il peut combiner les mots et, petit à petit, « écrire » ce qu'il veut, il s'en donne à cœur joie. Il demande de plus en plus de mots pour s'exprimer. Ainsi se crée un besoin de mots nouveaux immédiatement utilisés.

Cependant, avant 3 ans, il se peut que les phrases ne l'intéressent pas. Dans ce cas, continuez à lui donner des mots isolés aussi longtemps qu'il le souhaite. Plus l'enfant possédera de mots, plus facile sera pour lui l'analyse des sons. On pourra, en phase intermédiaire, associer deux ou trois mots sans verbe : *petit bébé, gros câlin, camion rouge*...

À l'inverse, certains enfants sont davantage attirés par l'écrit à partir du moment où les mots expriment une action qui les intéresse.

Le sujet et le verbe

Dès que l'enfant a une vingtaine de mots (un peu moins s'il a 5 ans), vous pouvez introduire le premier verbe.

De même que les premiers mots doivent avoir un sens affectif pour l'enfant, les premières phrases doivent le concerner : il en sera le sujet. Le premier verbe introduit aura un rapport avec les substantifs déjà connus. Si l'enfant possède une série de prénoms, pourquoi ne pas commencer par *joue* ou *aime* ? S'il a des aliments, on utilisera *mange*.

Exemple : on propose *mange* que l'on utilise immédiatement avec des mots connus. On pose *Julie mange* qu'on lit ensemble en pointant chaque mot. Ensuite, en s'amuse à remplacer *Julie* par *papa* et tous les prénoms peuvent y passer.

Les compléments et petits mots de liaison

Plus tard (peut-être le lendemain si l'enfant s'est bien amusé à remplacer les sujets), vous alignerez, par exemple, les étiquettes *Julie mange chocolat*. On lit en pointant chaque mot et en commentant : « Il faut dire : *Julie mange du chocolat*. » Devant l'enfant, écrivez le mot *du* sur un morceau d'étiquette (prévoyez étiquettes vierges, ciseaux et feutre pour que vous n'ayez pas à chercher votre matériel ; sinon, l'enfant se désintéressera avant que vous n'ayez pu écrire quoi que ce soit). Relisez la phrase : « *Julie mange...* (et vous placez *du* en grande pompe)... *chocolat*. »

Relisez la phrase en montrant chaque mot du doigt. Pour finir, c'est au tour de l'enfant de faire de même.

Les déterminants et petits mots de liaison (*le, la, avec, dans*, etc.) sont donc utilisés directement en situation. Étant abstraits, ils ne sont introduits que lorsqu'on en a besoin pour construire une phrase. Il serait ridicule de les présenter hors contexte à l'enfant. On ne va donc pas les revoir avec les autres mots, ni demander à l'enfant de les identifier isolément. Il les mémorisera à force de les utiliser dans des phrases différentes. Les auxiliaires (*est, a*, etc.) et le verbe *fait* sont assimilés aux petits mots et introduits de la même manière.

Je ne classe pas les « petits mots » dans la boîte par ordre alphabétique. Je les range ensemble.

Les permutations

Une maman : « Il a beaucoup aimé faire des phrases avec les étiquettes : *Maman aime Thibaud. Thibaud aime maman.* De pouvoir intervertir a vraiment été une découverte merveilleuse. Après, on a fait ça avec toute la famille ! »

Solène (3 ans et demi) n'a pas encore de verbe. Elle avait demandé le mot *lit* puis voulait le mot *lit de papa*. Sa maman a écrit et coupé ; elles se sont ensuite amusées à remplacer *lit* par *voiture* et *papa* par *maman*.

Jouez avec l'enfant à substituer et permuter compléments et sujets : *Julie mange du chocolat. Papa mange du chocolat. Julie mange du fromage. Julie mange papa...* ce qui la fera beaucoup rire.

Les phrases drôles

Les enfants les adorent. Montrez-leur comment on peut substituer et permuter sujets et compléments pour rire.

Julien et Frédéric aiment beaucoup confectionner des « farces » avec les étiquettes, mais ne veulent pas qu'on les pérennise en les écrivant sur une feuille ou un cahier « parce que c'est des bêtises ». L'écrit doit correspondre à la réalité de l'enfant.

Ragnhild Söderbergh[23] relate le même phénomène : « [...] L'enfant (2 ans et demi) était capable de faire la différence entre la réalité et la représentation écrite de la réalité, mais elle demandait l'absolue concordance des deux. »

De la grammaire !

« Ma fille n'était pas contente parce que j'avais écrit : *Delphine mange un bonbon*. Elle voulait *des bonbons*, mais je ne savais pas comment introduire les pluriels. »

Il faut tout simplement introduire le pluriel lorsque l'occasion se présente. Celle-ci en était une excellente. Il n'y a pas de grandes explications à donner à part la suivante : il faut mettre un *s* en plus parce qu'il y a plus d'un bonbon. La meilleure solution (j'ai tout essayé !) est d'écrire le mot au pluriel sur une deuxième étiquette.

---

23. *Op. cit.*

Si l'enfant a dépassé le stade des étiquettes, écrivez simplement les deux mots l'un sous l'autre. Les enfants aiment comparer les deux versions. *Idem* pour le masculin-féminin.

Justine avait « écrit » avec ses étiquettes : *Justine et Laetitia danse*. Il faut saisir l'occasion pour dire à l'enfant qu'on écrit *Justine danse* ou *Laetitia danse*, mais qu'on ajoute deux lettres « quand il y a plus d'un enfant qui danse ». Faites une deuxième étiquette *dansent* et montrez à l'occasion qu'on peut faire la même chose avec *joue*. Vous aurez introduit les premières règles de grammaire par le jeu au moment où l'enfant en avait besoin. Rien de plus naturel !

Des mots pour s'exprimer

Dès que vous aurez composé quelques phrases pour l'enfant, il voudra en faire lui-même. Il comprendra bientôt qu'il peut « écrire » tout ce qu'il veut. Encouragez-le. Les phrases qu'il construit ont généralement pour sujets lui-même, les membres de la famille, le chat ou le chien. Lorsqu'il vous dira : « Je veux écrire *Marie* [sa petite sœur] *a déchiré le livre...* mais je n'ai pas ce mot, il faut *déchiré* », vous n'aurez plus qu'à suivre votre enfant, lui donner ce qu'il vous réclame. Mais ce ne sera peut-être pas de si tôt !

C'est à présent la meilleure façon d'introduire des mots nouveaux et d'augmenter le capital-mots. Ils sont écrits parce qu'on en a besoin pour exprimer une idée. Réutilisez le mot nouveau dans plusieurs petites phrases afin qu'il soit mémorisé. Il n'est plus nécessaire à présent de revoir les mots individuellement, sauf éventuellement pour les derniers introduits, si l'enfant aime ce jeu. Si vous continuez à le faire parce que vous n'avez pas suffisamment confiance en votre enfant, vous risquez de le lasser et il aura raison de rejeter tout en bloc.

Nous verrons un peu plus loin comment vous pourrez bientôt écrire directement des phrases sur papier, l'étiquette-mot nouveau ne servant plus qu'à être introduite dans la boîte ou le cahier répertoire.

« Cela a vraiment bien démarré quand on a joué à faire des phrases avec les étiquettes. C'était une vraie joie pour lui de découvrir qu'il pouvait "écrire" tout ce qu'il voulait, et l'occasion de demander des mots nouveaux. » Ce témoignage est celui de nombreux parents.

Ainsi, l'enfant découvre les mots au fur et à mesure de ses besoins. Il se les approprie, non au gré des phrases toutes faites et qui ne le concernent pas d'une « méthode de lecture », mais au fur et à mesure des phrases que l'on crée pour exprimer ses idées et les événements quotidiens, heureux et malheureux.

Exemples : *Pierre a fait pipi au lit. Papa est parti. Demain Julie va chez bonne-maman. On va au cirque.*

Bref, les enfants veulent s'exprimer au moyen du langage écrit et ont besoin de mots nouveaux pour le faire.

De gauche à droite

L'enfant va acquérir la progression gauche-droite qui est celle de la lecture et de l'écriture en lisant les phrases que vous aurez formées pour lui, mais aussi en formant lui-même des phrases avec ses étiquettes.

Comme pour le reste, cette progression gauche-droite n'est pas innée. L'enfant va l'apprendre. De nombreux parents s'en aperçoivent lorsque l'enfant veut rédiger lui-même des phrases.

Très vite, Pierre a voulu faire lui-même des phrases pour que sa maman les lise. Il lui demande de fermer les yeux. Il voulait écrire : *Pierre mange maman*, mais en fait avait posé : *maman mange Pierre*. Il a été très déçu lorsque sa mère a lu : *maman mange Pierre*, mais a compris qu'il faut toujours commencer par la gauche. L'enfant en prendra l'habitude s'il a l'occasion de lire beaucoup de phrases.

Pour fractionner la difficulté, progressez en trois étapes :

– sortez les mots dont il aura besoin pour rédiger la phrase. Dites chaque mot ; l'enfant le sélectionne et le pose. Relisez la phrase ensemble ;

– donnez à l'enfant tous les mots de la phrase ; il doit la former ;

– l'enfant recherche lui-même les mots et rédige sa phrase.

Ne vous étonnez pas s'il n'y parvient pas du premier coup et ne lui dites pas : « Ça ne veut rien dire ! » Faites-lui lire les mots qu'il a posés les uns après les autres. Dites éventuellement : « Tu m'as fait une farce ! » Il prendra conscience de son erreur : aidez-le à mettre les mots dans l'ordre voulu en nommant le premier mot et en lui demandant de le poser, ensuite le deuxième, etc.

Au début, l'enfant pense qu'il suffit que les mots soient présents pour exprimer une idée, de la même manière qu'il pensera « écrire » son prénom en alignant les lettres qu'il contient dans n'importe quel ordre (voir p. 114).

Il n'est pas nécessaire de distinguer la gauche de la droite pour apprendre à lire, même si c'est très utile dans la vie ! Les yeux de l'enfant vont prendre l'habitude d'aller de gauche à droite en lisant les mots les uns à la suite des autres.

Conserver les phrases

L'habitude sera prise encore plus facilement si l'enfant peut retrouver les phrases que vous avez formées avec ses étiquettes. Vous les écrirez sur l'ordinateur ou à la main sur des feuilles A4 que vous introduirez dans un protège-documents. (Glissez une deuxième feuille derrière la première afin que les mots ne soient pas visibles en miroir au verso !)

Sur l'ordinateur : commencez en Comic Sans MS taille 48 et diminuez petit à petit jusqu'à 28. À la main, utilisez un feutre ordinaire épais (la lettre *a* fait 1 cm). Vous diminuerez progressivement la taille des lettres jusqu'à 0,5 cm.

Pour les premières phrases, prenez la feuille dans la largeur (ce qui vous permet d'écrire plusieurs mots par ligne) et n'écrivez qu'une phrase par page au début, en la scindant par unités de sens : *Armelle fait du vélo / avec papa.* Utilisez le point, mais attendez que l'enfant connaisse les lettres majuscules pour les introduire en début de phrase (sauf pour les prénoms, bien sûr !).

L'enfant a aimé construire des phrases avec les étiquettes. Grâce au classeur (protège-documents), il pourra les retrouver quand bon lui semblera. Écrivez plusieurs phrases différentes avec les mêmes mots :

les mots nouveaux seront mieux mémorisés grâce à leur utilisation récurrente et l'enfant sera fier de lire beaucoup de pages !

Pour l'instant, laissez-le deviner d'après le contexte les petits mots qu'il ne connaît pas encore. Plus il progressera dans l'analyse des lettres et des sons, moins il sera amené à deviner. Dès lors, s'il se trompe, vous pourrez lui dire : « Regarde bien » ! Pour le moment, c'est une stratégie tout à fait normale.

Bientôt, vous pourrez introduire un mot nouveau dans une phrase écrite directement sur une feuille ou au tableau. Dès que l'enfant a l'habitude de lire des phrases, il préfère en général ce procédé. Le mot nouveau se trouve ainsi isolé puisqu'il est entouré de mots connus. Utilisez-le si possible immédiatement dans des phrases un peu différentes. Écrivez ensuite rapidement sur étiquette et éventuellement dans le répertoire. Il est bon de continuer pendant quelque temps encore à écrire chaque mot sur étiquette. Si on se dispensait de ce stade initial – mais capital – du mot isolé, l'enfant ne serait pas capable d'identifier le mot dans la phrase et encore moins de prendre conscience des correspondances lettres-sons.

De temps en temps, proposez à l'enfant qui ne le fait pas spontanément de reproduire une phrase mot par mot avec ses étiquettes.

Remarques

Utilisez le langage de l'enfant. Adèle (3 ans et demi) a l'habitude de dire : *Suzanne mange un biberon.* Sa maman, à la demande de l'enfant, écrit cette phrase telle quelle, alors que son mari lui fait remarquer qu'elle aurait dû écrire : *Suzanne boit un biberon.* Personnellement, j'aurais agi comme la mère et aurais ensuite montré la phrase *Suzanne boit un biberon.* L'enfant modifiera spontanément sa manière de parler au contact de l'adulte.

Quelquefois, l'enfant lira pour : *Mamie pèle une pomme : Mamie qui pèle une pomme ; Papa lit le journal : Papa qui lit le journal.*

Ne le bloquez pas. Approuvez l'enfant qui a effectivement compris l'écrit proposé, mais répétez la phrase correctement en montrant chaque mot du doigt. Si l'enfant a 4 ans et demi, proposez-lui les deux phrases afin qu'il puisse voir la différence.

Il ne faut jamais hésiter à écrire, sur n'importe quel support, tout ce que l'enfant demande, même s'il ne connaît pas les mots. Dans ce cas, proposez-lui éventuellement de reconstituer la phrase sur une feuille que vous introduirez dans le protège-documents. Recopiez les mots sur des étiquettes autocollantes ; découpez-les et éparpillez-les. Nommez le premier mot, demandez-lui de le retrouver et de le coller. De même avec le deuxième mot et ainsi de suite. Ensuite, aidez-le à relire la phrase en montrant chaque mot du doigt.

Des jeux

• « Pendant que tu te caches, je fais une phrase avec les étiquettes. » Utilisez des mots connus (on joue !). Puis on inverse les rôles.

• « La salade ». Frédérique aime jouer à ce jeu. Sa maman sélectionne des étiquettes-mots pouvant former une phrase. Frédérique mélange la « salade » (les étiquettes), puis est invitée à construire la phrase.

• Vous écrivez (ou vous formez avec les étiquettes) une petite phrase que l'enfant doit mimer ou exécuter et dont vous changez le complément : *Marie est assise... sur la chaise / le tabouret / le tapis / la table* (ça fait rire) */ l'escalier / par terre / sous la table / dans le fauteuil / sur son lit...*

• L'enfant joue à exécuter ce que vous écrivez. Il commence à lire, vous dites les petits mots de liaison qu'il ne connaît pas encore : *Marie fait un bisou sur le nez de papa.* Il faut encourager l'enfant à deviner les petits mots d'après le sens de la phrase. Cela est valable à ce stade, car il ne dispose que de peu de repères de correspondance lettres/sons.

• Écrivez des phrases dont la plupart des mots ont été utilisés auparavant en laissant un blanc dans chaque phrase. Écrivez les mots manquants sur de petites étiquettes que l'enfant collera.

Exemple : *télévision, fromage, livre, prénom* (mots connus à coller). Vous soufflez les mots que l'enfant ne reconnaît pas : *Papa mange du...* ; *... joue avec le chat* ; *Maman lit le...* ; *Mamie regarde la...*

• Jeu de piste. Vous le commencez par exemple au tableau sur lequel vous avez écrit : *Regarde dans ma poche.*

Dans votre poche, un papier sur lequel est écrit : *Il y a une surprise sous ton oreiller.*

N'oubliez pas de mettre la surprise ! Allongez le jeu un peu chaque fois jusqu'à cinq étapes.

9. À la découverte des lettres et des sons (pour continuer)

Plus l'enfant connaît de mots, plus il lui est facile de remarquer les similitudes et de découvrir les règles qui lui permettront de s'approprier le code de l'écrit. Par exemple, il lui sera beaucoup plus facile de découvrir le son *eau* s'il a *gâteau, chapeau, eau, seau* que s'il n'a que *gâteau* et *beau*. S'il connaît plusieurs mots commençant par *m*, il découvrira spontanément et facilement le son que fait cette lettre.

Les éléments du code se révèlent au hasard des mots, au détour des réflexions de l'enfant. Il est très important de suivre celui-ci en instaurant un dialogue sur ce qu'il remarque ou l'intéresse. Il apprendra beaucoup plus vite et de manière plus approfondie que s'il subissait un enseignement dont la progression préétablie est imposée par l'adulte.

Les remarques auditives

Les similitudes visuelles repérées par l'enfant, matérialisées par quelques maisons, de même que quelques jeux oraux (voir « Les premiers jeux », p. 73) vous permettent d'engager un dialogue qui l'amène petit à petit à identifier des lettres et des sons par la vue et par l'ouïe. Bientôt, il fait des remarques de type auditif. Voici quelques exemples typiques.

• Vous êtes en voiture et l'enfant dit tout à coup :
– Maman écoute ! *Loup* c'est comme *soupe* !
– Bravo mon chéri !... et comme *chou*...
– Et comme *chouchou* !
– Oui !... Il faudra qu'on écrive ces mots en rentrant pour voir si on voit la même chose.

Inaugurez la maison des *ou* si ce n'est pas encore fait ou complétez-la.

• Marie (4 ans) avait remarqué que le mot écrit *galette* « c'est comme *cassette* » et comme *cachette* qu'elle a retrouvé dans une comptine connue avec sa maman. C'est une remarque d'ordre visuel. Quelques jours plus tard, le nez plongé dans son assiette pendant le repas, elle déclare tout à coup : « *Assiette* c'est comme *fourchette*. » Sa maman (étonnée mais ravie) l'approuve en lui écrivant les deux mots sur le pense-bête de la cuisine. C'est le type de remarque auditive qui arrive n'importe quand et n'importe où, après la découverte de l'écrit correspondant. Les enfants jouent avec la langue. Il convient d'avoir le réflexe de toujours écrire le mot évoqué par l'enfant lorsqu'il fait une remarque de type auditif.

• « Lucas (3 ans) est en train de jouer avec la dînette. Il ne trouve pas la petite cuillère, alors il prend l'ardoise magique et me demande d'écrire *cuillère*. Puis il me demande d'écrire *colère* qu'il a dû repérer sur le titre d'un de ses livres. Je lui dis et j'écris : c'est aussi comme *père* [et j'explique : ton père, c'est papa] et comme *mère* [je lui dis : c'est moi]. Alors Lucas veut savoir pour *mamé*. Je lui dis que pour *mamé*, c'est *grand-mère* et j'écris. Il faut qu'on fasse la maison des *ère*... en rajoutant *hélicoptère* qu'il connaît bien. »

• « Maman ! *Pain* c'est comme *peinture*... » Profitez de cette occasion pour faire un pas en avant : « Oui, on entend pareil, mais cela ne s'écrit pas de la même manière. » Avec l'enfant qui connaît déjà le son des lettres, on peut s'amuser à chercher des mots où l'on entend /in/ et à établir des listes-maisons au fur et à mesure des besoins. Au départ, on a *pain* et *peinture* qui constituent le début de deux « maisons » ; lorsque l'enfant proposera *jardin*, par exemple, que la maman (ou le papa !) écrit immédiatement, il remarquera que c'est comme *sapin* qu'il connaît et on inaugurera la maison des *in*. Il ne faut établir les listes-maisons qu'au rythme des besoins, de façon à satisfaire ceux-ci sans les devancer. Il ne s'agit pas d'enseigner tous les sons *in*, mais d'aider l'enfant à les découvrir lui-même pas à pas.

Attention ! Ne vous laissez cependant pas entraîner si l'enfant vous dit un beau matin : « *Lait* c'est comme *la fête.* » S'il ne se fie qu'à son oreille (exercices courants en grande section) et ne possède pas ces mots écrits, il pourrait vous sortir par exemple : *la fête, du lait, poulet, neige,* etc. De même pour */ère/* par exemple : *hélicoptère, anniversaire, la mer...* Écrire tous ces mots ne serait bon qu'à noyer l'enfant dans une profusion d'informations que vous comme lui ne pourrez gérer. Cela lui servirait juste à penser qu'apprendre à lire est difficile. Ce n'est difficile que si on enseigne plusieurs graphèmes à la fois pour un seul phonème. Or, et c'est une des principales caractéristiques efficaces de cette pédagogie, nous nous efforçons depuis le début de mettre un écrit (un graphème) en rapport avec l'oral (phonème) correspondant. Ainsi, tout devient facile... et passionnant !

Permettez-moi cette diversion : des milliers d'enfants en CP confondent, par exemple, *ra-ar, so-os, ein-ien,* etc., tout simplement parce qu'on les leur a enseignés en même temps. Certains enfants sont même qualifiés de dyslexiques, alors qu'ils ne le sont nullement.

• Un autre jour, venant de découvrir la lettre *s* – qu'il s'amuse à repérer partout – ainsi que le son de cette lettre, l'enfant chante dans la voiture :
– *S* comme *sapin*, comme *saucisse*, comme *ciel...*
La maman intervient :
– Oui, dans *ciel*, on entend *sss* comme dans *sapin*, mais ça ne s'écrit pas avec un *s*. Je te montrerai à la maison[24]. On en cherche d'autres ?
– ... *savon...*
– *sirop...*
– *souris, cirque...*
– On les écrira à la maison pour voir s'ils s'écrivent bien avec un *s*. D'accord ?

---

24. L'idéal est sans aucun doute d'avoir papier et feutre ordinaire à disposition ! D'après les témoignages, cette habitude est très profitable, la voiture étant particulièrement propice au dialogue.

Prenez le temps d'écrire quelques-uns de ces mots pour encourager l'enfant dans ses trouvailles, mais également pour lui permettre de faire un pas en avant dans la découverte du code : en effet, dans l'exemple ci-dessus, l'enfant a émis l'hypothèse que la lettre s correspond au son /s/. Lorsqu'il verra *ciel* et *cirque* écrits, il se trouvera en déséquilibre, mais apprendra avec facilité que dans certains mots « on entend pareil » mais « on ne voit pas pareil » !

Les erreurs, les hypothèses fausses émises par l'enfant sont toujours source de progrès. Il faut donc profiter de l'occasion qu'il vous donne : écrire les mots et les classer dans ce cas dans deux « maisons » différentes.

Tant que l'enfant provoque l'information, il la reçoit beaucoup plus naturellement et facilement. Elle a d'autant plus d'impact que l'enfant, mûr pour la saisir, la réclame. Il ne faut pas le décevoir et savoir répondre, même au moment où l'on s'y attend le moins. N'oublions jamais que mieux vaut une seule information donnée au bon moment que de nombreuses à des moments où l'enfant n'est pas demandeur.

- En voiture (toujours !), Delphine (5 ans) chantonne : « ... *an* comme *maman*... et comme *éléphant*... et même que *éléphant*, c'est comme dans *Delphine* ! » Comme c'est intéressant ! Aussitôt rentrée, la maman écrit aussi *pharmacie*. Delphine crie : « Ouiii ! c'est pareil ! » Devant la jubilation de sa fille, la maman crée la maison des *an* et des *ph*.

Certains enfants sont plus fouineurs que d'autres et font beaucoup de remarques. La maman d'Agathe me disait que sa fille était plus intéressée par ce qu'elle allait trouver dans le mot que par la phrase qui le contenait. De toute façon, l'important est de *suivre* l'enfant en lui donnant la bonne information au bon moment. S'il ne paraît pas remarquer grand-chose mais que son capital-mots augmente, il n'y a aucun souci à se faire : il apprend.

Voici encore quelques exemples de remarques et questions émises par les enfants, dont il faut absolument profiter.

• Baptiste : « Maman, écris *de l'eau* !... » (La mère écrit *de l'eau*.) « Non, ce n'est pas de l'eau, dans *de l'eau*, il y a *o*. » L'enfant vous donne une belle occasion de l'aider à progresser ! Soyez enthousiaste : « Ce que tu dis est très intéressant ! On entend /o/ et on n'écrit pas *o*... !? Voilà pourquoi : ici, les lettres *eau* se sont mariées [on ne se marie plus beaucoup ; si ça vous gêne, trouvez *votre* explication !] et tout ça [montrez *eau*], ça fait /o/ [surtout, n'épelez pas les lettres ; montrez-les « sons » toujours en bloc]. C'est génial ! Est-ce qu'on a un autre mot avec *eau* ? » Ressortez par exemple *gâteau* et/ou *cadeau*... ou écrivez un nouveau mot (intéressant !) finissant par *eau* et placez-les les uns sous les autres. « Bravo ! Maintenant, tu connais deux /o/ : *o* et *eau* [montrez]. Il faudra les mettre dans leur maison. » Puisqu'il connaît le *o*, écrivez deux mots en *o*, par exemple *moto* et *vélo*, pour le rassurer. Faites la maison des *eau* sans doute un peu plus tard, ou tout de suite s'il est toujours intéressé. Vous pouvez être assuré qu'il aura mémorisé la terminaison *eau*, tout simplement parce qu'il a provoqué l'information lui-même.

Ouvrez éventuellement une maison des *au* si l'enfant vous en donne l'occasion, par exemple avec *jaune*. Mais n'ouvrez pas de « maison » s'il ne vous a suggéré aucun mot qui puisse y entrer ! Ne le bombardez donc pas de tous les *o* à la fois !

• Dans *crayon*, Bénédicte remarque qu'il y a /i/ mais elle ne le voit pas... Inaugurez une maison de mots avec *y* (qui se prononcent comme *crayon*).

• Sophie demande à sa mère d'écrire *Sophie joue au ballon*. « ... Maman, c'est écrit *a-u*, mais t'as pas écrit *o*. » (Traduisez : j'entends /o/ mais je ne vois pas *o*.)

N'éludez jamais ce genre de réflexion. C'est sur le vif, dans les moments de déséquilibre et de recherche, que l'enfant est le plus réceptif aux nouvelles informations. Dans le cas présent, profitez-en pour ouvrir la maison des *au*.

Certains enfants font beaucoup de remarques auditives. Quand on leur propose une phrase comme *Émilie a mis ses chaussettes toute seule*, ils vous diront : « J'entends deux fois *mi*. » Il est bon, à ce moment précis, d'abord de les féliciter, puis de rechercher ensemble la syllabe en question en leur demandant de l'entourer ou de la colorier.

Les remarques auditives que fait l'enfant ne lui sont profitables pour apprendre à lire que dans la mesure où vous lui montrez la correspondance écrite de la syllabe ou du phonème qu'il est en train de découvrir. Pour vous, c'est un réflexe à acquérir qui se révèle très fructueux.

Conclusion : un dialogue passionnant !

S'il est amorcé avec enthousiasme, ce dialogue adulte/enfant va se poursuivre pour ne s'arrêter que lorsque l'enfant aura pratiquement découvert toutes les correspondances lettres/sons. C'est la politique similaire à celle (dite du renforcement positif) que vous avez déjà utilisée lorsque l'enfant apprenait à parler[25].

Une mère témoigne : « J'apprends à le suivre, à lui répondre n'importe où. Depuis quelque temps, j'ai toujours dans la voiture du papier et un crayon. Ainsi, lorsqu'il me dit tout à coup, par exemple : "*Cassette* c'est comme *salopette*", je peux instantanément l'approuver : "Oui, c'est vrai et ça s'écrit comme ça." Il est tout content. » Dans les embouteillages peut-être... mais soyez prudent !

Les remarques de l'enfant – visuelles et auditives – sont comme des **poteaux indicateurs** sur la route de la découverte du code*. **Il suffit de les suivre.**

Il confond le *b* et le *d*... pas de panique !

C'est très courant. Je dirais même que c'est normal. Mais la question d'inversion de lettres est assez intéressante et controversée pour qu'on s'y attarde.

---

25. Voir Paule Aimard, *L'Enfant et la magie du langage*, Laffont, 1984, p. 49-55.

Ce qu'il ne faut pas faire : proposer à l'enfant en début d'apprentissage des exercices de repérage des *b, p, d, q*, comme on peut en trouver dans nombre de cahiers de vacances et CD-Rom préparant le CP. Cela consisterait à le polariser sur la difficulté. Ces exercices, au lieu d'aider les enfants à apprendre à lire, rendent l'apprentissage plus difficile.

Dire à un enfant qui ne se situe pas encore bien dans l'espace que la barre du *b* est avant et la barre du *d* après le rond, ou que la barre du *b* est au-dessus et celle du *p* en dessous ne signifie rien pour lui et l'embrouillera plus que ne l'aidera.

En revanche, il est très utile que l'enfant mémorise parfaitement des mots commençant par *p, b* ou *d*. Il faut pour cela choisir les mots qu'il connaît le mieux (par exemple, *papa, bébé* et *doudou*) qui serviront de mots-clés. Au lieu de faire remarquer les difficultés, il faut se contenter de grouper les mots par lettres (cela se fera automatiquement si vous classez vos mots selon l'ordre alphabétique). Ainsi, lorsque l'enfant rencontrera *pompier* ou *poisson*, il aura le réflexe de se demander si c'est la lettre de *papa* ou celle de *bébé*. Il doit donc faire référence à un mot-clé et non se demander si la barre est à gauche, au-dessus, en dessous, etc. Pour la lettre *q*, il faut habituer l'enfant à reconnaître l'ensemble *qu* comme dans *musique, quille, cirque, Véronique, coquillage*, cette lettre n'apparaissant isolément que dans *coq* et *cinq*.

La reconnaissance de la lettre est basée sur la mémoire visuelle et ne doit pas être le fruit d'un quelconque raisonnement inadapté au jeune enfant. D'ailleurs, plus vous travaillerez la mémoire visuelle de l'enfant, meilleur il sera en orthographe usuelle.

Je me souviens de cet enfant (à peine 3 ans) qui ne se trompait jamais dans l'identification des lettres *p, b, d, q*, jusqu'au jour où sa mère, voulant bien faire, lui a expliqué que la barre est à gauche ou à droite...

Cela ne veut pas dire qu'il faut interdire à l'enfant de s'amuser à retourner les lettres. S'il vous dit un jour *spontanément* en prenant le *p* : « Regarde, comme ça c'est *dé* et comme ça c'est *pé* » ou :

« Comme ça c'est comme *dodo* et comme ça c'est *papa* », bravo et tant mieux !

Une maman témoigne : « J'ai adopté votre système *b* de *bébé*, *p* de *papa* avec mon autre fille qui a énormément de difficultés au CP. Cela m'a beaucoup aidée. En fait, cela l'a complètement débloquée. Elle fait très bien la différence maintenant et peut lire les mots nouveaux en *b* ou en *d* correctement. C'est comme *bébé*, c'est *bêtise*. Pour les *m* et les *n*, c'est la même chose. » Avis aux parents d'enfants soi-disant dyslexiques !

Les différentes écritures

Certains enfants, à partir de 4 ans et demi, sont intrigués ou gênés par les formes très diverses que peuvent prendre les lettres, ou alors ils décrètent que les lettres sont mal écrites ! Pour familiariser l'enfant aux différents graphismes, proposez-lui le jeu suivant :

– faites-le choisir une lettre qu'il connaît bien ;

– aidez-le à rechercher le plus de formes possibles de la même lettre dans des revues, catalogues, etc. ;

– Proposez-lui de les découper (faites-le éventuellement vous-même) et de les coller sur une grande feuille. Cela donne de très jolis collages et il apprendra en jouant.

L'école maternelle prépare bien les enfants aux différents graphismes. Il est toutefois dommage de le faire dès la petite section.

Des jeux

• **Recherchez des mots** qui commencent comme *chchchocolat*, comme *mmmaman*, etc.

Commencez par des sons faciles à entendre. Les consonnes *m, ch, s, r, v, l, j, n* sont plus faciles à percevoir que *b, d, p, t*.

Ces jeux oraux occupent et amusent les enfants lors de longs déplacements.

Pour automatiser la reconnaissance visuelle de ce qu'on nomme habituellement les « sons », toutes sortes de jeux sont imaginables auxquels on intègre régulièrement les nouveaux sons que l'enfant a découverts et dont on a fait la « maison ».

• Le Memory® des mots-clés

Préparez de petites cartes allant par paires, avec sur l'une le son et sur l'autre le mot-clé de l'enfant pour ce son :
– l'enfant peut apparier les mots et les sons ;
– on peut y jouer comme au Memory ;
– l'un des joueurs prend tous les sons, l'autre tous les mots, et chacun son tour demande la carte qu'il lui faut pour faire une paire.

• Le loto des mots-clés

Ce jeu favorise la reconnaissance rapide des sons. Quand l'enfant connaît quatre ou six sons, préparez de petites cartes mobiles où sont inscrits les sons (*oi, in...*) et un carton divisé en autant de cases contenant chacune le mot-clé (*roi, sapin...*). Mettez les cartes en pioche et le carton devant l'enfant. Chacun à son tour tire une carte et doit la placer sur le mot qui lui correspond. Dès que l'enfant a découvert suffisamment de sons nouveaux, confectionnez un carton supplémentaire.

• Le jeu de Lucie (dès que l'enfant a découvert deux « sons »).

Préparation : un petit bristol pour chaque son et des étiquettes avec tous les mots des maisons.

Choisissez trois ou quatre « cartes-sons », disposez-les en ligne. Retournez les étiquettes-mots correspondantes en pioche. Chacun à son tour tire un mot, le lit (vous l'aidez !) et le place en colonne sous la carte du son qu'il contient. Si le mot contient plusieurs sons, l'enfant peut choisir la colonne qu'il préfère.

• L'intrus (pour l'enfant qui demande de faire ses devoirs comme un aîné).

Ce jeu s'adresse à ceux qui ont déjà une bonne connaissance des sons. Écrivez trois mots commençant par la même lettre ou possédant le même son + un intrus. L'enfant doit le barrer et colorier « ce qui est pareil » dans chaque colonne. Si besoin, lisez-lui les mots pour l'aider.

Exemples :

cheval	violon	piscine
chaise	maison	farine
chocolat	oiseau	mouche
arbre	mouton	comptine

Commencez par des séries très faciles.

• **Pigeon vole** (jeu oral)

Ce jeu aidera l'enfant à prendre conscience des sons par l'oreille. Ne jouez qu'avec des lettres déjà découvertes à l'écrit. Demandez-lui de lever la main chaque fois qu'il vous entend prononcer un mot qui contient le son *mmm*, par exemple. Commencez par deux mots commençant par cette lettre ; mélangez ensuite des mots qui ne commencent pas par cette lettre.

Avec les plus jeunes, commencez par leur demander des syllabes très simples en situation initiale (par exemple, s'ils entendent *pa* dans *panier* ou *mo* dans *moteur*) avant de passer aux phonèmes*, plus difficiles à percevoir.

• **Le jeu du détective**

Thibaud (5 ans) a beaucoup aimé ce jeu que je propose aux enfants qui connaissent la plupart des lettres et leur son habituel. Montrez une feuille de papier sur laquelle vous aurez écrit cinq mots. Par exemple : *pamplemousse, orange, citron, banane, pomme*. Vous demandez : « Parmi ces mots, lequel est *orange* ?... Comment sais-tu que c'est celui-là ? » L'enfant peut avoir reconnu le *o* mais aussi le *ge*. En général, il regardera la première lettre. Au fur et à mesure qu'il connaîtra plus de correspondances lettres/sons, il deviendra plus adroit à ce jeu et vous pourrez proposer des mots très voisins.

Ce jeu se présente à l'enfant comme un défi... et il aime les relever. Il sait bien qu'il ne sait pas tout lire, mais de pouvoir repérer un mot parmi d'autres (grâce à certains indices) le remplit de fierté et lui permet d'apprendre à utiliser les indices en sa possession, activité qui favorise la recherche de compréhension, ce qui est excellent.

• **Le loto des sons**

Descriptif : pour les enfants ayant découvert le son de la plupart des lettres en situation initiale et qui ont fait quelques maisons.

Ce jeu (à imprimer et à découper, que vous pouvez obtenir sur CD – voir p. 213) est composé de 35 cartes-loto, qui comprennent chacune six images représentant un son (*en, ou, ain, ch...*), et de petites cartes de la taille des images avec le mot écrit (le son est en couleur).

On peut jouer

– seul : l'enfant a une carte. Les mots sont étalés. Il choisit une image et cherche la carte-mot (plus facile qu'identifier un mot) et la pose ensuite à côté de l'image.

– à plusieurs : une carte-son par joueur. Les petites cartes-mots en pioche, chacun tire à son tour, donne la carte-mot à celui qui possède ce son qui le lit (il se fait aider si besoin). Le mot est posé à côté de son image. Celui qui a terminé sa carte le premier a gagné.

Des phrases rigolotes et des comptines

• **Les phrases rigolotes.** La maman de Marie (4 ans) s'est amusée à les confectionner avec les mots contenus dans les maisons de sa fille. Marie ne se lasse pas de les relire. Exemples :

« Pour ses 4 ans, Marie a un beau gâteau et des cadeaux : un chapeau, un bateau et un petit seau pour mettre de l'eau. »

« Léo le chien chasse les chats. Parfois il saute sur la chaise pour manger le chocolat. »

« Marie joue dans le jardin avec ses cousins. Robin et Quentin se cachent derrière le sapin. »

« Marie veut faire un jeu avec le feu. Non, c'est trop dangereux ! »

• **Les comptines de Chloé**

Après (c'est important !) avoir fait une maison, on peut donner une comptine correspondante. Chloé (7 ans) en avait écrit pour sa petite sœur. Mais vous pouvez les inventer vous-même. En voici deux ; les autres se trouvent en annexe 3.

in	ei
Martin le coquin	la reine Madeleine
a vu ce matin	dans sa robe beige
un petit lapin	s'en va dans la neige
au bout du chemin	chercher la baleine

Pour varier les activités

• L'alphabet

Pour varier les activités, ou à un moment où vous avez l'impression de ne pas progresser, vous pouvez lui apprendre l'alphabet à l'aide d'une chanson. Il existe actuellement plusieurs alphabets chantés sur CD : choisissez celui qui vous plaît le plus.

Cependant, connaître l'alphabet par cœur n'est pas une fin en soi. Il faut aussi apprendre à reconnaître les lettres et le son qu'elles produisent habituellement. L'alphabet sert à l'enfant à retrouver un mot dans sa boîte à mots ou dans son répertoire, et plus tard à retrouver un mot dans le dictionnaire.

• Les lettres mobiles

Dès qu'il reconnaît quelques lettres, l'enfant aime jouer avec des lettres mobiles. Profitez d'un moment où l'intérêt pour les mots ou les phrases baisse pour lui en offrir.

Les meilleures (rapport qualité-prix) actuellement disponibles sur le marché sont les composteurs et lettres Plastis (Nathan réf. 387017) que vous pouvez commander par téléphone : 0 810 63 68 47 (prix appel local France métropolitaine), par mail : service.clients@nathan.fr ou par courrier : Nathan, service Clients Matériel éducatif, 75704 Paris Cedex 13. Elles comportent 134 lettres majuscules/minuscules (dont accentuées) imprimées sur une plaque de plastique prédécoupée. Afin de pouvoir jouer sur le frigo, on peut aussi se procurer du ruban magnétique autocollant à découper et à coller au dos des lettres (Nathan réf. 3790 14 : caoutchouc magnétique en rouleau).

Je ne suis pas opposée aux lettres magnétiques multicolores dans le cas où l'enfant les possède en plus des Plastis. L'inconvénient de ces lettres magnétiques réside dans le fait que les couleurs sont d'intensités différentes et ne donnent donc pas une bonne image du mot.

Pour que l'enfant puisse vraiment s'amuser avec ses lettres Plastis, il est nécessaire de les classer, l'idéal étant une boîte contenant au moins douze cases : une boîte à clous en plastique fait parfaitement l'affaire. Collez une étiquette adhésive marquée de deux lettres au moins dans chaque case en respectant l'ordre alphabétique pour permettre à l'enfant de ranger les lettres lui-même s'il le souhaite.

Au début, il voudra « écrire » son prénom. S'il ne peut encore trouver seul les lettres nécessaires, donnez-les-lui en les nommant : il apprendra ainsi le nom des lettres qu'il ne connaît pas encore. Il est très probable qu'il pose la première lettre en premier, mais qu'il aligne les suivantes dans un ordre aléatoire. Il vous dira tout fier : « Regarde, j'ai écrit *Julien* ! » Pour lui, *Julien* est contenu dans les lettres ; même si celles-ci ne sont pas dans l'ordre voulu, *Julien* est dedans. Il pense que si tout y est, c'est bon ! Pourtant, il ne reconnaîtrait pas son prénom si vous lui présentiez *Jinlue*. Montrez-lui le modèle et faites-lui remarquer que les lettres doivent se trouver dans un certain ordre : « Ce sont les lettres de *Julien*, mais il faut les mettre comme ça pour que tout le monde puisse le lire. »

Il faut donc que l'enfant apprenne que les lettres, les mots s'écrivent selon une certaine séquence. Il comprend très vite. On peut constater à cette occasion à quel point la lecture est complexe. Rien n'est acquis d'avance. Rien n'est inné. Tout est appris, mais tellement rapidement !

S'il veut copier d'autres mots avec ses lettres mobiles, sélectionnez les lettres nécessaires, placez le modèle devant lui et demandez-lui de prendre la première lettre (la lettre qui fait... ou nommez-la s'il connaît le nom), ensuite la deuxième, etc. Il prend ainsi l'habitude de poser les lettres de gauche à droite. Très vite, il peut le faire seul et même écrire certains mots de mémoire, en recherchant les lettres dans les cases, sans votre aide.

Important : assemblez les lettres des « sons » avec du ruban adhésif au verso des Plastis. Par exemple, pour *maman*, vous aurez les graphèmes* *m-a-m-an* (vous aurez scotché *an*) ; pour *Julien* : *J-u-l-ien*, afin qu'il ne risque pas de poser les lettres *ien* dans un ordre différent, empêchant ainsi la mémorisation correcte des graphèmes *ien* ou *an*, etc. L'enfant très jeune en contact avec l'écrit mémorise inconsciemment des suites de lettres fréquentes de sa langue. C'est scientifiquement prouvé[26].

Mémoriser les mots-clés

Les lettres mobiles seront très utiles si elles peuvent aussi servir à mémoriser complètement l'orthographe des mots ayant induit la découverte d'un son. Par exemple, le mot *maman* pour *an, sapin* pour *in*, etc. Pensez à assembler avec du ruban adhésif les lettres de chaque « son ». Ces mots inducteurs sont particuliers à chaque enfant. Ils deviennent des mots-clés pour évoquer un son : si l'enfant peut mémoriser *bateau*, vous pourrez bientôt évoquer le /o/ de *bateau* pour écrire *château*.

Qu'est-ce que j'ai écrit ?

Imaginons que l'enfant qui a reçu ses premiers mots ait posé *tfianr* en lettres magnétiques sur le réfrigérateur et vous demande de lire ce qu'il a écrit. Ne dites pas immédiatement : « Je ne peux pas, ça ne veut rien dire ! » Froncez le sourcil, tentez de prononcer ce qu'il a posé et partez d'un grand éclat de rire : « Tu vois, ce n'est pas un vrai mot, mais si j'enlève le *t*, que je déplace ces deux-là [*i* et *r*] et que j'ajoute un *e*, on aura le mot *farine*. » L'enfant aura compris que son mot ne valait pas grand-chose, mais que vous avez apprécié sa tentative sans qu'il perde la face. En revanche, si vous êtes négatif à ce moment-là, il sera très déçu.

---

26. Voir M. Fayol, S. Pacton et P. Perruchet, « L'apprentissage de l'orthographe lexicale : le cas des régularités », *Langue française*, n° 124, 1999, p. 23-39.

Il se peut aussi qu'il écrive une suite de lettres commençant par *w* et dise : « J'ai écrit *Winnie*... » Vous mettez le doigt sous le *w* : « Oui, c'est la première lettre de *Winnie*, mais je ne peux pas lire le reste. Je vais essayer de lire ce que tu as écrit [vous articulez ce qui est écrit comme vous le pouvez en riant]. Tiens, voici les lettres de *Winnie*, nous allons l'écrire ensemble. »

• Le tableau

Tous les enfants aiment griffonner, dessiner, imiter l'écriture au tableau. Aider l'enfant à écrire au tableau est développé dans « Comment aider l'enfant qui veut écrire ? », p. 171.

Mais le tableau constitue aussi un support d'apprentissage de la lecture différent et particulièrement utile. Outre sa nouveauté qui attire tout enfant, il est surtout un outil de dialogue adulte/enfant et un excellent support pour utiliser l'écrit dans la vie quotidienne. Un impératif : il faut qu'il soit grand. L'endroit idéal : la cuisine. Vous vous y trouvez plus fréquemment que dans la chambre de l'enfant et c'est souvent lorsque vous préparez un repas que l'enfant vous apostrophe : « Maman, regarde ce que j'ai écrit » ou : « Maman, écris *tarte aux pommes* » ou encore : « *Pouce* c'est comme *bouche.* » Il faut profiter de l'occasion : répondre, écrire, féliciter, souligner la similitude découverte par l'enfant. Cela prend cinq secondes d'écrire un mot au tableau et le dialogue peut continuer alors que vous poursuivez la préparation du repas. Il sera d'autant plus fructueux qu'il a été provoqué par l'enfant.

Plusieurs solutions sont possibles :
– le tableau Velleda® (rayon papeterie des grandes surfaces) collé sur une surface plane, par exemple sur une porte à hauteur de l'enfant ;
– le grand tableau noir ou vert classique ;
– peindre une porte plane (ou la moitié inférieure) ou le bas d'un mur avec de la peinture « spéciale tableau » ;
– le tableau papier + feutre (veillez à ce que l'encre soit lavable à l'eau et que l'enfant n'écrive pas sur le nouveau canapé ! Avantage : pas de poussière).

Le tableau peut servir :

– à mettre un mot en évidence pendant un moment ;

– de pense-bête (pensez à écrire grand pour que l'enfant puisse en profiter, mais attendez qu'il vous demande ce que vous avez écrit) ;

– à s'écrire des petits messages, surtout pour la maman ou le papa qui part travailler avant le réveil des enfants ;

– à écrire des mots contenant un certain son au fur et à mesure qu'on les trouve ;

– à écrire ce qu'on va faire : *demain on va chez Brigitte ; ce soir Martin dort chez grand-mère*, etc. ;

– et bien sûr à dessiner, griffonner !

Les enfants sont avides de savoir chaque jour ce qui est écrit au tableau et peuvent le plus souvent lire le message même s'il comporte un mot nouveau qu'ils devinent. Il faut simplement exploiter les événements de la vie quotidienne. Le mot nouveau peut être introduit ensuite dans le fichier alphabétique.

• L'ordinateur

L'ordinateur, outre son attrait, permet de varier les supports. Au début, l'enfant s'amusera sans doute à taper au hasard, simplement pour voir ce qui se passe, puis il voudra écrire (choisissez police et taille adaptées) son prénom et ensuite ses mots préférés. Il apprendra très vite à repérer – avec votre aide éventuellement – et même à mémoriser les correspondances majuscules/minuscules.

Quels CD-Rom choisir ? En ce qui concerne la lecture, aucun des suivants n'est exempt d'erreurs pédagogiques :

– *Adibou* est amusant, mais, en ce qui concerne la lecture, l'enfant ne sera pas plus avancé après qu'avant ;

– Certains aspects de *Lapin Malin* sont valables ;

– *Je lis avec Tibili* : bon, mais il faut déjà connaître de nombreuses correspondances grapho-phonologiques ;

– *Atout Clic CP* est très décevant, comporte beaucoup d'erreurs pédagogiques (certaines m'ont fait bondir !) et d'exercices difficiles qui ne feront pas progresser l'enfant en lecture !

Quel que soit le support (CD ou jeu sur Internet ou cahier de vacances), évitez surtout les séquences comprenant des signes phonétiques. Ils ne peuvent rien apporter de positif aux enfants. Au contraire, c'est tout ce qu'il faut pour les embrouiller, du fait par exemple qu'un *u* est représenté par *[y]* et *ou* par *[u]*. De toute façon, ne les laissez pas trop longtemps devant l'écran !

L'acquisition des correspondances lettre(s)-son(s) : où en est-il ?

Lorsque l'enfant connaît déjà plusieurs lettres et possède quelques maisons, faites le bilan des consonnes dont il connaît le son en vue de faciliter la découverte de celles qui n'ont pas encore attiré son attention. Si son répertoire contient par exemple très peu de mots commençant par *f*, pensez à introduire quelques mots qui commencent par cette lettre.

Si la lettre *f* ne l'a toujours pas frappé, sortez les mots commençant par cette lettre ainsi que quelques autres et demandez à l'enfant de vous donner « tous les mots qui commencent comme *farine* ». Lisez chaque mot qu'il vous tend en insistant oralement sur la première lettre. Nommez la nouvelle lettre et félicitez l'enfant de la connaître. Donnez-la-lui sur un bristol séparé qui rejoindra les lettres connues dans sa « boîte à lettres ».

De la même manière, vous pouvez aider un enfant à découvrir n'importe quel son s'il ne le fait pas spontanément.

Rares sont les enfants qui n'ont pas découvert le son des voyelles à ce stade. Voici comment les y aider :
– rassemblez des mots où on entend *a* ;
– faites colorier les *a* en commentant : « Colorie le *a* de *arbre.* » (Insistez oralement sur le *a.*) etc.

a : arbre, assis, allô, papa, banane, cabane...
é : école, éléphant, café, bébé, étoile...
i : pipi, lit, image, difficile...
o : orange, loto, moto, dodo...
u : usine, lune, prune, pull, bulle...

Remarque : je ne m'attarde pas encore sur le *e*, souvent muet, sauf dans le Midi. À l'occasion, il fera l'objet d'une maison avec : cheval, menu, cheveux...

Voici des petites comptines à écrire qui mettront ces voyelles en exergue :
Natacha avala sa pizza.
Toto le robot fait de la moto.
Turlututu a bu du jus.
Bébé Zoé regarde la télé.
Lili a fait pipi sur le tapis.

10. Lire de petits livres

L a lecture de phrases qui intéressent l'enfant est simultanée à la découverte progressive du code*. Cette dernière est certes indispensable, mais il est capital que l'enfant prenne dès le début l'habitude :

– de reconnaître des mots entiers pour être capable plus tard, lorsqu'il connaîtra la plupart des correspondances grapho-phonologiques, de les reconnaître instantanément ;

– de chercher à comprendre tout écrit qu'il aborde.

Ces bons réflexes acquis, essayons de comprendre ses erreurs d'identification (une analogie en est presque toujours la cause), encourageons-le lorsqu'il remarque une similitude dans les mots. Si nous lui répondons, le dialogue s'engagera et il se passionnera. Mais il ne peut faire de remarques que s'il a mémorisé des mots qui l'intéressent.

Écrire des phrases avec l'enfant a pour conséquence l'accroissement de son capital-mots, qui lui-même permet d'approfondir la découverte du code. Et plus l'enfant possède d'éléments du code, plus la mémorisation de mots nouveaux est facilitée. Ainsi, on peut constater qu'Adèle apprend facilement quatre mots à la fois deux mois après le début de l'apprentissage (voir annexe 4, p. 222).

Le capital-mots augmente avec le besoin de l'enfant de connaître des mots nouveaux pour :

– lire ce que l'adulte lui écrit ;

– lire dans son environnement (panneaux, enseignes, emballages...) ;

– écrire à quelqu'un qu'il aime ;

– rédiger ce qu'il veut exprimer dans son « journal » (voir plus loin) ou dans un petit livre dont il est l'auteur ;

– lire un petit livre imprimé.

Afin de motiver l'enfant à lire des livres lui-même, on peut :

– lui prouver qu'il peut le faire en l'y aidant comme décrit ci-dessous ;

– lui suggérer qu'il pourra lire des petits livres à un enfant plus jeune ;

– lui faire comprendre qu'il pourra lire à tout moment, et surtout quand ses parents ne pourront pas lui faire la lecture parce qu'ils sont occupés ou absents.

Être capable de lire tout seul un (petit) livre est très valorisant pour le jeune enfant et lui permet d'apprendre quantité de mots nouveaux dans le texte.

Le livre à confectionner

Les enfants aiment surtout les livres dans lesquels ils se reconnaissent. Vous les confectionnerez vous-même en utilisant :

– soit un cahier de dessin (format 21 x 29,7 cm) que vous coupez en deux horizontalement pour obtenir deux petits livres plus larges que hauts, ce qui vous permettra d'écrire plusieurs mots par ligne (au feutre ordinaire ; taille de la lettre a = 5 à 8 mm selon l'âge) ; choisissez du papier de belle qualité afin que l'encre ne le transperce pas ;

– soit les cahiers 21 cm x 15 cm (Nathan – tél. : 0 801 636 847) ;

– soit des livres blancs cartonnés 22 cm x 17 cm (Nathan).

Des feuilles de son classeur contenant chacune une phrase peuvent également être utilisées pour former un livre : il suffira alors de relier, avec un cordon ou un ruban de couleur, celles qui concernent un même sujet. Vous ajouterez une page sur laquelle vous écrirez le titre (exemples : *Le chien, Mes jouets, Ma famille, Mon vélo*, etc.).

L'idéal est d'utiliser des mots que l'enfant connaît pour faire un livre. Mais s'il n'en connaît pas suffisamment, rien n'empêche de fabriquer un « livre-plaisir » en fonction de son intérêt et de son âge.

• Pour les 2-3 ans

L'enfant étant très centré sur lui-même, il sera ravi si vous lui fabriquez un livre qui le concerne de bout en bout. Exemple : *La journée d'Olivier*.

Construisez le livre avec l'enfant au rythme d'une page à la fois. Sur la page de gauche, une illustration (dessin ou photo) ; sur la page de droite, par exemple : *Olivier se lève* ou : *Olivier se réveille*.

Au début, pointez chaque mot du doigt ; ensuite, invitez l'enfant à vous imiter.

Exemples pour la suite du livre : *Olivier boit son lait, Olivier va à l'école, Olivier mange avec une fourchette, Olivier fait la sieste, Olivier dessine, Olivier fait du vélo, maman lit une histoire, Olivier dort...*

Adaptez ces idées à votre enfant et à son univers. S'il connaît déjà plusieurs mots, utilisez-les dans un petit livre en appliquant toujours le même principe : très peu de texte correspondant à une illustration. Évitez de mettre mots et illustrations sur la même page, l'illustration pouvant détourner l'attention de l'enfant. Si votre enfant est passionné par les mots, les illustrations pourront prendre moins d'importance.

• Pour les 3-4 ans

Relatez un événement qui marque l'enfant : son anniversaire, les vacances, le ski, un séjour à l'hôpital, Noël, l'arrivée d'un animal, Pâques, le séjour chez une grand-mère, une sortie, une promenade, une histoire de poupées, etc.

Appliquez les principes suivants :

– une phrase par page (hauteur de la lettre *a* = 5 à 8 mm), éventuellement illustrée sur la page lui faisant face ;

– utilisez le moins possible de mots abstraits et n'hésitez pas à répéter plusieurs fois les mêmes mots ;

– coupez les phrases en unités de sens sans vous soucier d'aller au bout de la ligne : *Marie fait du vélo / avec son papa. Je suis allé chez mamie / et on a fait un gâteau.*

Ces livres pourront être fabriqués selon deux rythmes différents. À vous de voir ce qui est plus adapté à votre enfant.

Soit (et c'est l'idéal) vous avez déjà pu lui donner la plupart des mots du livre : dans ce cas, donnez-lui tout le livre en une fois. Voici deux exemples de petits livres fabriqués pour deux enfants de 3 et 4 ans (dessin sur la page de gauche, texte sur la page de droite).

Pauline va à Houat.
Voici le port de Houat.
Pauline monte sur le grand bateau.
Et voici la maison.
Pauline va sur la plage avec le vélo de son papa.
Pauline joue sur la plage avec le sable.
Pauline nage dans l'eau avec son papa.

Le bain de Jules (il s'agit d'une poupée).
Adèle met Jules dans la baignoire.
Adèle lave les cheveux de Jules avec du shampooing.
Adèle lave le dos de Jules avec du savon et un gant.
Adèle rince Jules avec la douche.
Adèle essuie Jules avec une serviette de bain.
Jules est tout propre, Adèle lui met son pyjama.
Adèle brosse les cheveux de Jules.

Soit vous construisez le livre avec lui, un peu chaque jour. Par exemple, vous avez l'illustration concernant la première page et vous proposez à l'enfant d'écrire le texte en sa présence. Vous lisez la phrase avec l'enfant en lui faisant montrer du doigt chaque mot. Aidez-le s'il n'y arrive pas. Afin de favoriser la mémorisation des mots, vous pouvez reporter ces derniers sur des étiquettes autocollantes et proposer à l'enfant de les utiliser pour reconstruire la phrase. N'hésitez pas à nommer souvent chaque mot que l'enfant manipule pour lui faciliter les choses. Le jour suivant, vous relisez la première page ensemble et vous faites de même pour la deuxième page… et ainsi de suite. Soyez à l'écoute des remarques de l'enfant du genre « c'est comme » et écrivez toujours le mot qu'il suggère pour vérifier s'il s'écrit pareil et si on entend pareil. Cela peut amener (peut-être pas au même moment) à créer une maison ou à ajouter un mot dans une maison existante.

• Pour les 4-5 ans

Des livres dictés ou écrits par l'enfant que cette idée réjouit. Cela prend seulement quelques minutes par jour. Proposez à l'enfant de raconter une histoire qu'il vous dictera (il la copiera lui-même s'il en est capable et s'il le veut). Laissez-le complètement libre de choisir le sujet du livre.

Écrivez le titre sur la couverture et demandez-lui ce qu'il veut écrire pour commencer l'histoire. Si sa phrase est trop longue, reformulez-la ou composez deux phrases. Écrivez en disant les mots que vous tracez. Une phrase par jour (ou deux si l'enfant a 5 ans et insiste beaucoup). L'enfant peut illustrer en face du texte. Pendant ce temps, reportez les mots sur des étiquettes autocollantes et demandez-lui de reconstruire la phrase (avec le modèle pour commencer). Cet exercice est destiné à apprendre les mots isolément. Prononcez chaque mot que l'enfant doit retrouver et redites-le lorsqu'il le pose. Ces mots sont généralement appris facilement parce qu'ils viennent de l'enfant lui-même. Ils seront encore mieux mémorisés si certains peuvent compléter des maisons (peut-être à un autre moment). Si vous pouvez en créer de nouvelles, n'hésitez pas.

Le lendemain, faites lire le titre et la première page. L'enfant montre chaque mot du doigt. Aidez-le si nécessaire et construisez la deuxième page ensemble, et ainsi de suite. Chaque fois que l'enfant lit en montrant chaque mot du doigt, il accroît sa capacité de reconnaître les mots de manière instantanée.

Lorsque l'intérêt pour le sujet commence à faiblir, trouvez une conclusion pour terminer le livre. Montrez à l'enfant la photo de l'auteur au dos d'un de vos livres et proposez-lui de coller la sienne au dos de celui qu'il vient d'écrire [27].

L'enfant éprouve une certaine jubilation à écrire une histoire. Il prend conscience qu'il peut tout écrire : c'est la conquête d'un nouveau pouvoir.

Pierre (5 ans) était très fier de son livre et l'emmenait partout. Il a appris beaucoup de mots avec facilité. Certains sont venus alimenter des maisons de sons ou lui ont fourni l'occasion d'en créer de nouvelles.

---

27. C'est une idée de F. Dodson, psychologue, que je trouve excellente.

Lorsque l'enfant fait un livre lui-même (quelquefois à l'école), il est très important que vous y attachiez autant d'importance qu'à n'importe quel autre livre.

• Le journal de l'enfant

Confectionner de petits livres pour et avec l'enfant n'est pas du tout indispensable, mais cela lui fait très plaisir. Si vous n'avez pas le temps ou pas le goût d'en fabriquer, écrivez un « journal » avec l'enfant relatant les faits saillants de sa vie. C'est une excellente façon d'augmenter le capital-mots et de progresser dans l'analyse des sons.

Choisissez un grand cahier que vous datez quand vous l'utilisez : *mercredi 29 septembre*. Ce journal fera aussi prendre conscience à l'enfant du temps qui s'écoule. Plus tard, il le retrouvera – et vous aussi – avec un immense plaisir. On y écrit simplement une phrase. Au début de temps en temps, puis aussi souvent que l'enfant le souhaite. Il peut l'illustrer s'il le désire. Je connais des enfants qui ne peuvent plus se passer de dicter leur phrase chaque jour : l'adulte écrit les mots sur des étiquettes autocollantes que l'enfant prélève et colle pour former la phrase. Certains seront utiles pour compléter les « maisons » ou en inaugurer de nouvelles.

Des enseignants utilisent judicieusement un « cahier de vie » pour faire le lien entre la maison et l'école. Utilisez-le comme « journal » en écrivant suffisamment grand avec un feutre ordinaire pour que votre enfant puisse en profiter. Il sera doublement motivé pour le confectionner.

Si l'enseignant vous parle de manière positive de votre enfant à propos de ce cahier, dites simplement que vous écrivez les mots comme dans ses livres et qu'il vous pose beaucoup de questions, mais n'évoquez jamais cet ouvrage en premier. (Voir aussi la question « Puis-je en parler à l'institutrice de mon enfant en maternelle ? », p. 196.)

Le livre imprimé

Très souvent, il existe une différence de niveau entre le livre que vous lisez habituellement à un enfant et le livre qu'il est capable de lire lui-même. Toutefois, ce phénomène peut être inexistant s'il a commencé l'apprentissage très jeune.

Il sera peut-être nécessaire de lui faire comprendre qu'il y a des livres que l'adulte lui lit et des petits livres qu'il peut lire lui-même à un enfant plus jeune en attendant de savoir lire tous les livres qui lui plaisent.

La meilleure démarche pour aider un enfant à lire son premier livre me paraît être la suivante.

• Choix du livre

Choisissez un sujet qui intéresse l'enfant, mais ne lui montrez pas encore le livre. Vous pouvez commencer par retrouver un des petits livres qu'il a beaucoup aimés lorsqu'il était plus jeune (c'est plus facile parce qu'il connaît l'histoire). Il doit être écrit en script ou en minuscules d'imprimerie, avec des caractères suffisamment grands (pour un premier livre : pas moins de 6 mm pour un enfant de 3-4 ans, pas moins de 4 mm pour un enfant de 5 ans) et épais, les lignes étant bien espacées ; il doit comporter peu de texte par page. Il est important que les mots fassent partie du vocabulaire de l'enfant.

Parmi d'autres, j'ai utilisé les livres d'*Émilie* (Domitille de Préssensé, éditions Rouge et Or) qui présentent l'avantage d'être imprimés en grands caractères. Certaines pages comportent des textes non colorés qui sont très peu lisibles. Il suffit de colorier les lettres blanches avec un feutre ordinaire de couleur assortie à celles du livre. Faites-le avant de donner celui-ci à l'enfant, afin qu'il n'ait pas l'envie de vous imiter.

Je fais la même chose avec les livres de *Naftaline* (même auteur) que j'ai utilisés avec des enfants de 5 ans, mais je remplis les lettres blanches avec un crayon à bille, les caractères étant plus petits.

• Travail préparatoire éventuel

Avant de montrer le livre à l'enfant, repérez et notez sur une liste alphabétique la plupart des mots que l'enfant ne connaît pas.

Vous les introduisez au rythme de deux ou trois chaque fois (ou plus selon l'appétit de l'enfant), dans de petites phrases qui l'intéressent. Je vous conseille de ne pas utiliser les mêmes phrases que le livre, car le contenu de celui-ci n'aurait plus d'attrait pour l'enfant. Il aime la nouveauté !

· Lecture

Tout d'abord, munissez-vous discrètement d'un petit bristol ou d'une carte de visite. Dès que vous avez pu utiliser la plupart des mots, donnez le livre à l'enfant. S'il s'agit d'un de ses anciens petits livres, il sera très fier de lire tout seul un livre qu'il a adoré. S'il s'agit d'un nouveau livre, il se peut qu'il vous demande de le lui lire tout de suite. Proposez-lui de le regarder d'abord. En le feuilletant, certains mots lui sauteront aux yeux. Félicitez-le de les reconnaître. Dites-lui qu'il sait lire le titre s'il ne l'a pas encore fait. Félicitez-le encore. Et lisez le livre avec lui. Encouragez-le à lire les mots qu'il connaît, mais ne le laissez pas hésiter ou chercher trop longtemps : lisez vous-même en découvrant les syllabes avec une carte de visite ceux qu'il ne connaît pas et en les disant normalement ensuite. Aidez-le à relire chaque phrase en montrant chaque mot (prononcé normalement !) du doigt. S'il pose des questions sur la ponctuation, répondez clairement : par exemple, s'il vous demande la signification d'un point d'interrogation, écrivez quelques phrases interrogatives très simples sur une feuille.

Dès que vous remarquez que l'intérêt ou l'attention baisse, arrêtez immédiatement en prétextant que vous avez un truc urgent à faire et continuez le lendemain.

Aussitôt qu'il a lu tout le livre, peut-être en une seule fois s'il connaissait la plupart des mots, faites-lui prendre conscience de l'exploit. Félicitez-le chaleureusement. Il peut en être très fier !

Au cours de la lecture, vous aurez repéré les mots sur lesquels il a buté. Ce sera l'occasion, à un autre moment, de voir avec votre enfant s'ils ressemblent à des mots qu'il connaît (« c'est comme... ») et peuvent être ajoutés dans une maison ou s'il faut en ouvrir de nouvelles.

Dans les jours qui viennent, il est bon de relire souvent le livre ensemble (en soufflant toujours ! Pas question de lui demander d'effort : cela ne marcherait pas mieux !) afin que les mots s'inscrivent dans sa mémoire. Ils s'y inscriront néanmoins d'autant mieux qu'ils auront été analysés et coupés (voir le chapitre suivant concernant la syllabe).

L'importance du contexte

Vous pourrez remarquer que l'enfant sera capable de reconnaître certains mots lorsqu'ils sont utilisés dans une phrase, alors qu'il lui arrive de les confondre avec d'autres lorsqu'ils lui sont proposés isolément. S'il a déjà utilisé, par exemple, *monte, montre* et *monstre*, il sera capable de lire ces mots sans se tromper dans des phrases en s'aidant spontanément du contexte. Comme on ne lui a donné à lire que des textes qui l'intéressent, il est toujours avide de comprendre ce qui est écrit.

Exemple : *Denis monte sur le tracteur. Papa a perdu sa montre. Le monstre disparaît pour toujours.*

Cette situation, qui durera jusqu'à ce que l'enfant ait découvert complètement le système (il sera alors capable de déchiffrer* n'importe quel mot isolément), ne l'empêchera pas de lire efficacement et d'y trouver du plaisir. L'essentiel n'est pas de pouvoir oraliser un texte, mais de vouloir le comprendre.

Témoignages divers

La maman d'Anne (4 ans) avait introduit de façon anodine tous les mots d'un petit livre avant de l'offrir à sa fille. Le jour où elle lui a dit : « Tiens, si tu essayais de lire ça ? », l'enfant fut étonnée et ravie de pouvoir le faire. Sa maman aussi !

En Belgique, un papa avait préparé tous les mots ayant trait à la fête de Saint-Nicolas (équivalent du Père Noël français) pour faire un livre. Mais au moment de faire le livre, sa fille était fatiguée des « mots de Saint-Nicolas ». Il lui fallait du nouveau.

Le livre *Émilie boude* n'a pas plu à Aude (3 ans et demi). Il est préférable de choisir un sujet qui plaira à l'enfant, dans lequel il peut se reconnaître ou reconnaître son environnement.

Baptiste (4 ans) connaît le mot *mange*. Dans une histoire que sa maman lui lit survient : « ... et il mangeait, mangeait, mangeait. » L'enfant a pointé : « C'est là *mangeait !* » Les enfants extrapolent.

La maman de Pierre-Antoine raconte : « L'autre jour, Pierre-Antoine (23 mois) apporte à sa grand-mère un livre de *Spot*. Elle lui lit le livre. Tout à coup, il l'interrompt : *Rega Spot éki là* en pointant le mot au milieu du livre. J'étais médusée et contente, me disant que ce que je faisais servait à quelque chose. Le mot *Spot* revient presque à chaque page et il prend beaucoup de plaisir à le montrer. »

Aurélien (5 ans) qui rentre de l'école avec un « avis aux parents » veut lire la « lettre de la maîtresse ». Il lit certains mots, sa maman les autres. Ensuite, il s'amuse à la relire seul (il apprend les mots qu'il ne connaissait pas) et en est très fier.

Benoît (4 ans) aime retrouver des mots qu'il connaît dans ses livres. Il s'est même mis à les souligner et il vérifie consciencieusement s'ils sont bien « écrits pareil ».

Suivre le texte du doigt ?

Il ne faut pas suivre du doigt les textes qu'on lit à un enfant : le débit normal de la parole est trop rapide pour qu'il puisse en tirer profit. Mais on peut le faire avec lui pour les textes lus ensemble, si l'enfant a un bagage suffisamment important de mots et s'il se rend bien compte que le mot lu est celui qu'on montre du doigt et pas un autre. S'il demande expressément qu'on « lise avec le doigt », je ne vois aucune raison de ne pas le faire.

Marie (4 ans) veut que sa mère suive le texte d'*Émilie* avec le doigt. L'autre jour, une tante qui lui relisait une histoire lui a demandé de montrer le papillon. Marie n'a pas montré l'image du papillon, mais le mot *papillon* dans le texte.

Bérengère (4 ans) veut suivre du doigt la petite histoire que sa maman lui lit. Celle-ci veille donc à lire en fonction de la cadence du petit doigt. À la fin de la page, elle lui demande où se trouve un certain mot : Bérengère le montre à deux endroits différents. Tous les soirs, elle demande d'« apprendre à lire ».

Julie suit du doigt le texte dans de tout petits livres (quelques images), mot par mot. Elle les connaît peut-être par cœur – ils sont très simples –, mais elle montre chaque mot du doigt... Lorsque le doigt va trop vite : « Ah non ! je me suis trompée » ; elle revient en arrière et reprend. Beaucoup d'enfants apprennent ainsi quantité de mots « dans le texte ». Ils ne pourraient le faire s'ils n'avaient pas commencé par apprendre suffisamment de mots isolés.

Il connaît ses livres par cœur

Plusieurs aspects sont à considérer par rapport à ce phénomène. L'enfant très jeune « parle » le livre qu'il aime et qu'il connaît bien. Quelquefois même, il le récite parfaitement en tournant les pages. Il le dit sans regarder le texte, même s'il possède un capital d'une trentaine de mots écrits. Il ne peut pas de cette manière apprendre de mots nouveaux, sauf certains qui reviennent souvent ou ceux du titre. Il faut, bien sûr, le laisser faire !

En revanche, l'enfant qui a déjà utilisé plusieurs dizaines de mots écrits et qui, connaissant le livre par cœur, le lit effectivement en suivant du doigt chaque mot peut apprendre un nombre non négligeable de mots nouveaux dans le texte. Dans ce cas, toutes les capacités de l'enfant concourent à leur acquisition : mémoire auditive, mémoire visuelle, connaissances grapho-phonologiques*, utilisation du contexte lui permettant de vérifier ses hypothèses.

Écouter des livres sur CD

Ils sont profitables à sa progression si l'enfant qui suit le texte connaît des mots isolés et possède de nombreux repères grapho-pho-nologiques : par exemple, s'il connaît le son des consonnes initiales, des syllabes (*ca, ma, sa...*) et quelques sons comme *eau, ou, in, on...*

Vous pouvez aussi enregistrer sur CD un ou plusieurs livres qu'il aime. Chaque fois que vous tournez la page, faites un bruit caracté-ristique, de préférence joli : trois notes de piano par exemple ; prenez votre temps pour permettre à l'enfant de réagir et de tourner sa page en écoutant.

Il peut prendre ainsi plaisir à écouter et réécouter une histoire. Mais rien ne remplace le contact d'un parent ou d'un plus grand.

Lire des comptines, chansons et poésies

Il est très utile de reproduire sur papier (la lettre a = 5 à 8 mm ; lignes suffisamment espacées) les comptines et chansons que l'enfant apprend à l'école et de les dire ensemble en montrant chaque mot du doigt. Vous pouvez proposer à l'enfant de découper chaque mot et de reconstituer la comptine en collant chaque mot sur une feuille. En manipulant les mots, il les apprend. Quelques lignes à la fois...

L'utilité est la même que pour les textes connus par cœur, avec de surcroît l'avantage des rimes qui favorisent merveilleusement l'apprentissage de certains sons.

Une petite fille de 5 ans apprend la fable *Le Laboureur* de La Fontaine. Sa maman l'a reproduite en écriture scripte suffisamment grande afin qu'elle puisse suivre le texte. Elle commence à lire et possède quelques repères (le son de nombreuses lettres, des rimes, des mots). Le fait de connaître un peu la fable par cœur lui a permis de la lire en entier en s'appuyant tantôt sur l'oral mémorisé, tantôt sur l'écrit qu'elle commence à maîtriser.

Faire son courrier et en recevoir

En lui offrant à l'occasion « son » papier à lettres, donnez-lui le bonheur d'envoyer et de recevoir du courrier. Il voudra écrire des lettres pour en recevoir : d'un proche, d'une cousine, d'un ami, ou même d'un correspondant repéré sur Internet comme cela commence à se faire entre bout'choux de 4 ans à la suite de discussions au sujet de ce livre.

Vous prenez en dictée ce qu'il veut écrire sur des étiquettes autocollantes (dans le désordre s'il a déjà des repères) et il prélève les mots dont il a besoin.

Un grand puzzle

Le capital-mots augmente grâce au besoin qu'a l'enfant de rédiger et aux textes qui lui sont donnés à lire. Parallèlement, il progresse dans la découverte du système : en effet, il connaît le son que produisent habituellement la plupart des lettres (qu'il nomme), quelques syllabes (ex. : *ma, ca, pa...*), quelques sons-voyelles (ex. : *eau, on, ou...*), diphtongues* (ex. : *oi, ien*) et groupes de lettres (comme *ette, ch, ine*).

Les mots nouveaux sont perçus de manière très différente de ceux reçus en début d'apprentissage. À ce stade, on peut lui en donner autant qu'il en a besoin à la fois. Ils sont d'autant plus faciles à mémoriser que l'enfant possède de nombreuses correspondances lettre(s)-son(s) : lettre ou syllabe initiale, groupe de lettres connu. Celles-ci remplacent peu à peu les premiers repères visuels sur lesquels l'enfant s'appuyait pour reconnaître les mots.

Des parents ont quelquefois l'impression que l'apprentissage est un peu décousu : « On ne comprend pas où on va. On apprend une lettre par-ci, un son par-là... » C'est normal, et je dirais même idéal : il est cent fois préférable et efficace que le jeune enfant découvre par lui-même les éléments du code écrit* sans enseignement préétabli plutôt qu'il subisse un enseignement conçu par l'adulte. Il a été capable d'apprendre à parler grâce à sa mémoire phénoménale et à sa « réflexion » inconsciente sur l'oral qu'il perçoit. De même que la progression du langage oral varie pour chaque enfant, il faudrait permettre à chacun de conquérir le code de l'écrit à sa manière.

L'apprentissage naturel de la lecture tel que nous le proposons peut être comparé à l'élaboration d'un puzzle. Des pièces se mettent en place non pas de manière ordonnée, selon une progression préétablie (comme dans une « méthode » de lecture), mais un peu partout à la fois. Plusieurs parties sont travaillées simultanément pour finalement former un tout. Il peut rester quelques trous du puzzle à combler (l'étude de sons que l'enfant ne connaît pas encore, par exemple, *gn, im...*), mais cela ne l'empêche pas de percevoir l'image (de comprendre une histoire).

11. À la découverte de la syllabe

Des morceaux de mots

La syllabe initiale est facile à isoler dans le mot. Il arrive un moment où l'enfant identifie des syllabes (*ca, ba, sa, pou...*) ou reconnaît des petits mots contenus dans d'autres (*main/maintenant, mer/mercredi,* etc.) qui l'aident à identifier ces mots nouveaux.

Une maman était en train d'écrire une liste de courses. Elle montre *cacao* à l'enfant qui hésite, puis lui facilite la tâche en cachant le *o* – l'enfant lit *caca* –, enfin elle découvre le *o* en lui demandant : « Qu'est-ce que j'ai écrit ? »... L'enfant jubile : « *Cacao* ! »

Mathias (3 ans et demi) tente de lire un peu partout : il commence le mot et dit même quelquefois les deux premières syllabes. Dans certaines phrases comme *Mathias a mis le bébé dans la poussette,* il lit : *Mathias a mis le bébé dans la pou...* Il faut encourager l'enfant à deviner le reste et lui faire remarquer, s'il a des mots en *ette*, que « c'est comme *sucette* » en montrant ce mot.

Julie lisait son *Popi...* Il y avait *chatouille*. « Qu'est-ce qui est écrit là ? » Le papa cache *ouille*, elle dit *chat*, puis il découvre le mot : « Maintenant c'est *chatouille*. »

La maman de Coralie (2 ans et demi) nous rapporte l'anecdote suivante : « Elle avait une vingtaine de mots dont *pipi-caca*. Un jour, elle me demande : "Écris *pi*." (J'exécute.) "Encore *pi*." Puis elle lit triomphante : "*pipi* !" » Coralie a découvert seule que le langage oral se divise en syllabes, elle a cru reconnaître celle qui représente *pi*, mais a voulu avoir la preuve de sa découverte.

Quentin (3 ans et demi) aime aller au supermarché Continent®. Les étiquettes suspendues au-dessus des rayons étant très lisibles, il remarque que *confitures* c'est comme *Continent*, puis dit à sa mère : « Hein, maman, on peut pas écrire *con* tout seul... » Remarquez comment l'enfant peut isoler une partie de mot spontanément. Il a extrait la première syllabe, un même écrit correspondant à un même oral.

Adèle demande qu'on lui écrive *cagoule* et dit à sa mère : « D'abord, il faut écrire *ca* (elle a *canard* et *camion*) et après il faut écrire *goule*. Écris aussi *caca* et puis *capuche*... » Cela lui permet de vérifier son hypothèse plusieurs fois.

Des mots coupés

Vous avez peut-être déjà joué à couper des mots oralement avec un très jeune enfant, comme indiqué p. 76. Et votre enfant a probablement déjà repéré des syllabes initiales (*ma, pa, sa*...) par le biais des premières maisons. Il est dès lors utile de couper avec des ciseaux des mots simples bien connus pour faire correspondre fractionnement oral et écrit. Vous aurez recopié ces mots (*papa, maman*...) sur des fiches bristol.

Proposez à l'enfant de couper les mots « avec la bouche » : deux ou trois émissions de voix par mot. Exemples : *pa-pa, ma-man, cho-co-lat*... Et coupez-les devant lui avec des ciseaux ou marquez au crayon de bois l'endroit où l'enfant doit couper, s'il en est capable. Nous ne nous soucions pas de couper les mots en syllabes orthographiques à ce stade, le but étant que l'enfant prenne conscience de la correspondance entre un oral donné et l'écrit correspondant : *ma-man, gâ-teau, ma-lade, ba-teau, su-cette, pa-pi-llon*... Jouez à reconstruire les mots comme des puzzles en commençant par un ou deux mots à la fois. Avec certains morceaux vous pourrez sans doute construire des mots nouveaux. C'est très amusant !

Exemples :

papa/pompier : papier	malade/sapin : salade
gâteau/chapeau : chateau	papa/mange : page
(manque l'accent !)	poulet/chaussette : poussette
neige/route : rouge	artiste/dentelle : dentiste
rouge/bouton : bouge	balance/gâteau : bateau
roule/boîte : route	bougie/vache : bouche
rouge/maman : mange	papa/piquet : paquet
neige/maman : mange	papa/tasse : passe
poupée/boule : poule	mouton/câlin : moulin

Très vite, vous avez droit aux trouvailles de votre enfant ! Antoine (4 ans et demi) crie depuis les toilettes en brandissant le papier hygiénique Page® : « Maman ! c'est écrit *Page*, *pa* de *papa* et *ge* de *mange* ! »

Autre témoignage : « Le fait de couper des mots lui a fait faire un grand pas en avant. Comme il adore découper, c'était du gâteau ! »

Certains enfants jouent à cacher des parties de mots en demandant ce qui est écrit. Il est important de toujours leur répondre. Ils cherchent, ils jouent, ils s'amusent, ils travaillent !

La chasse aux syllabes

S'il connaît bien la plupart des consonnes (et le son qu'elles font), proposez au moins quatre mots connus ayant comme deuxième lettre *a* : *bateau* (ou *banane*), *cabane*, *lapin*, *garage* (ou *gâteau*), *maman*, *papa*, *sapin*...

Posez ces mots les uns sous les autres et ne faites apparaître que la première syllabe en cachant le reste avec un grand carton ou une revue. Lisez *ba* de *bateau* (découvrez un instant le mot), *ca* de *cabane* (idem), *sa* de *sapin*. Demandez à l'enfant de vous montrer *ca*, *sa*, *ba*, etc. Puis relisez ensemble les syllabes sans découvrir les mots.

Des jeux et une chanson

• Des mots à construire

(On peut jouer avec papa, maman ou avec des enfants un peu plus âgés.) Vous coupez des mots connus et attrayants en « émissions de voix ». Exemples : *pa/pa, va/cances* (*va/can/ces* dans le Midi), *ba/teau, cho/co/lat, chau/ssettes, pom/pier*...

Remarque : on coupera les mots en syllabes orthographiques (*bal-lon*) à l'école élémentaire. Notez que les mots comme *mange, nage* seront coupés dans la mesure où l'enfant a déjà découvert la syllabe terminale *ge* (s'il a aussi, par exemple, *orange, fromage* ou *garage*).

Mettez les cartes en « pioche » au milieu de la table. Chaque joueur à son tour pioche et pose son « morceau » devant lui (en le nommant).

Un participant a droit à un jeton chaque fois qu'il peut poser la première partie d'un mot ou accrocher un morceau à un mot commencé devant lui ou devant un autre joueur. Celui qui a le plus de jetons, à la fin, a gagné. (N'utilisez pas de haricots secs, ils pourraient se les mettre dans le nez !)

Ce jeu permet à l'enfant d'appréhender la syllabe et vous pouvez le varier à l'infini.

• Des petits mots dans les grands

Rechercher des petits mots contenus dans d'autres.
Exemples :

mer	→ mercredi	belle	→ mirabelle
jour	→ aujourd'hui	main	→ demain
beau	→ beaucoup	long	→ longtemps
coup	→ beaucoup	pluie	→ parapluie

• Une chanson

Faites-lui plaisir en lui offrant le CD *L'Alphabet : apprendre à lire en chantant* d'Hervé Cristiani. L'enfant en retire à ce stade un bénéfice étonnant si vous écrivez le texte afin qu'il puisse le suivre en écoutant. Attention ! Dans ce CD, remplacez *au* par *eau* en veillant toujours à ce qu'un même son corresponde à une même graphie.

La syllabe symbole

À ce stade, l'enfant reconnaît quelques syllabes, par exemple : *ca, ba, sa, cho, co, pa, pou...* Il les reconnaît globalement (c'est le *ba* de *bateau*), mais il n'a pas encore compris, et c'est tout à fait normal, la fusion consonne-voyelle : *b* + *a*, ça fait *ba*. Voyons maintenant, comment il peut y parvenir.

12. La synthèse
b a - ba... enfin !

Anne-France a 100 mots. Sa mère est agacée parce qu'elle connaît le son du *s* et de *ou*, mais ne sait pas lire *sou* ! Rien de plus normal ! Cette enfant en est encore au stade symbolique du *sa* de *sapin*, du *ca* de *carotte*, etc., mais n'a pas encore compris le principe de la fusion consonne-voyelle. Un peu de patience ! Cela viendra bientôt. Il faut continuer à couper des mots : *ba* de *banane*, *cho* de *chocolat*... Nombre de parents sont très étonnés de constater que même si l'enfant sait que la lettre *v* fait *vvvv* et qu'il connaît le son du *i*, il n'est pas forcément capable de lire *vi*. Pour le jeune enfant, ce n'est pas du tout naturel mais très difficile s'il n'y a pas été préparé. Ce qui est simple (mais abstrait dans ce cas) n'est pas forcément facile à comprendre. Il ne faut pas confondre simplicité et facilité. L'enfant a l'habitude de la complexité depuis qu'il est né et s'y retrouve très bien !

Mais souvenez-vous : il compare des faits ! Il n'y a rien à comparer dans le *b a - ba* : c'est une règle, un raisonnement qu'il ne fait pas encore. Pour comprendre une règle, il faut qu'il puisse la découvrir lui-même par induction*. (Voir « Le processus d'apprentissage », p. 23.)

L'enfant qui possède suffisamment de mots, qui connaît le son de plusieurs lettres, est enfin capable de faire ce que tant d'éducateurs se sont acharnés à enseigner pour commencer : *b + a = ba*, ce que les spécialistes nomment la « combinatoire* ». Pour comprendre que *b + a = ba*, il faut que l'enfant ait pu découvrir :

– la correspondance lettre/son du *b* (grâce à *bateau, bébé, ballon*...) ;

– la correspondance lettre/son du *a* (*banane, arbre, Natacha*...), mais aussi, afin de pouvoir accéder à la fusion consonne-voyelle *ba*, qu'il ait rencontré :

– d'une part : *ballon, biberon, bébé, botte, bulle* (même consonne, voyelles différentes) ;

– d'autre part : *ballon, cadeau, lapin, maman, papa, sapin...* (consonnes différentes, même voyelle).

Alors seulement il disposera de tous les éléments pour comprendre la règle de la fusion consonne-voyelle et le fameux déclic pourra avoir lieu !

Benoît (4 ans) utilise environ 250 mots. Son frère, Romain (2 ans et demi), veut des mots comme son grand frère. Sa maman lui en donne à la demande. Du coup, Benoît, jaloux, refuse de lire quoi que ce soit ! Il s'est à nouveau intéressé à la lecture lorsque j'ai suggéré à sa mère d'écrire un mot comme *caravane* sur le tableau et de dire à l'enfant : « Regarde, j'ai écrit un mot que tu n'as jamais vu. Mais je me demande si tu peux quand même le lire. Essaie... » La mère découvre le mot syllabe par syllabe et l'enfant déchiffre le mot, très fier de son exploit qu'il a envie de renouveler.

Depuis le début, nous nous sommes efforcés d'aider l'enfant à lire et à découvrir le système par lui-même en douceur, ce qui va lui permettre de pouvoir bientôt déchiffrer.

Je suis témoin, chez les parents qui ont donné suffisamment de mots à leurs enfants, d'un étonnement, d'un émerveillement lorsqu'ils me disent, par exemple : « Il commence à déchiffrer tout seul », « Il connaît *eau* sur la bouteille et a su lire *seau* », « Il lit des mots qu'il n'a jamais vus », « C'est amusant, il lit une ou deux syllabes des mots et il devine le reste », « Il veut lire les mots sans qu'on l'aide », « Je ne lui ai pas appris que *p + a = pa* et il le sait »...

Bien sûr, vous ne lui avez pas enseigné comme on le fait habituellement avec exercices et répétitions, mais vous lui avez donné tous les éléments pour qu'il puisse y arriver tout seul. C'est bien plus gratifiant pour l'enfant ! L'étonnement de l'enfant lui-même est quelquefois exprimé de manière originale : « Je ne sais pas lire ce mot, mais j'arrive à trouver ce qui est marqué ! » Mais le plus souvent, c'est : « J'ai lu un mot que je ne connais pas. » N'oublions surtout pas de féliciter ! Certains enfants, connaissant les lettres et, possédant un capital de 50 mots, ont mémorisé *m a-ma, p a-pa*, etc. Un adulte ou un aîné leur ayant montré les combinaisons, ils font spontanément le transfert à d'autres consonnes et voyelles. D'autres, avec un grand capital-mots, appréhenderont très vite le mécanisme tout seuls. La plupart seront bien aidés si l'adulte peut les mettre sur la voie. Mais celui-ci ne pourra en aucun cas faire le travail à la place de l'enfant. Voici quelques trucs pour l'aider si nécessaire.

De la magie

• **Une consonne, plusieurs voyelles**

Si l'enfant connaît le son habituel (au début d'un mot) de plusieurs consonnes, qu'il connaît le son des voyelles et qu'il a remarqué quelques sons comme *on, eau, in*, qui ont fait l'objet de maisons, vous pouvez lui proposer le jeu suivant.

Placez les voyelles *a, é, i, o, u* (petits cartons ou celles de l'alphabet Plastis) les unes en dessous des autres ; prenez une consonne qu'il connaît très bien, par exemple *m* (de préférence une consonne dont le son se prolonge), placez-la devant le *a* : « Tu vois, j'ai fait *ma* comme dans *maman*. Regarde, c'est magique [vous descendez le *m* devant le *i*] : avec le *i*, ça devient ?... *mi* comme dans *Mimi* [la petite souris] » et vous continuez : *mé, mo, mu*...

Aidez votre enfant à refaire ce que vous venez de lui montrer. Quand il saura nommer facilement les syllabes avec le *m*, montrez-lui (un autre jour !) le jeu avec une autre consonne qu'il connaît bien : *pa, pé, pi, po, pu*.

S'il a eu suffisamment d'exemples avec plusieurs consonnes différentes, il peut étendre le concept à toutes les consonnes qu'il connaît. Il a compris le système !

Encore une fois, si ce jeu ne l'amuse pas du premier coup, surtout n'insistez pas, mais proposez-le à nouveau quelques jours ou semaines plus tard.

Il est recommandé de lier les syllabes à des mots que l'enfant possède déjà. Cependant, voici des mots usuels dont vous pourrez extraire les premières syllabes.

papa	maman	sapin	chameau	la
petit	melon	secret	chemin	le
pipi	midi	sirop	chiffon	lit
police	moto	soleil	chocolat	loto
purée	musique	sucre	chut	lune
	ménage		chéri(e)	

bateau	tableau	farine	va	radio
biberon	tire	fenêtre	vite	renard
botte	toboggan	ficelle	vole	rideau
bulle	tube	forêt	vu	robot
bébé	télé	fumée	vélo	ruban

jamais	dame	nappe	haricot	kaki
je	demi	niche	hérisson	képi
joli	dimanche	noël	hibou	kiwi
judo	dodo	nu	hôtel	koala
	du	né	hutte	

• **Plusieurs consonnes, une voyelle**

Prenez les lettres utilisées dans le jeu « La chasse aux syllabes » (p. 134). Posez les consonnes (s, b, c, g, l, m...) les unes sous les autres, faites glisser la voyelle (a pour notre exemple) verticalement à droite de chaque consonne : ba (de bateau), ca (de cadeau), ga (de garage), la (de lapin), ma (de maman)... et associez les mots bateau, maman, lapin...

Un tableau à double entrée

Pour Samuel (4 ans) ce fut la révélation. Sa maman raconte : « Il adore les jeux à double entrée, les labyrinthes. Il doit avoir l'esprit assez logique. À l'aide d'un tableau à double entrée qu'il affectionne, je lui fais remarquer que quand le l rencontre le a ça fait la. C'est magique ! Il a trouvé ça "super" et on a fait un grand poster, scotché sur un mur, avec ce qu'il sait. Il n'y a pas encore tous les sons, mais au fur et à mesure de leur découverte, ils trouveront leur place sur le tableau. Nous cherchons ensemble aussi pour chaque case un mot qui commence (ou qui finit) par ce son : *on* comme *violon* (sa sœur fait du violon), *la* comme *lapin*, etc. »

Utilisez un grand rouleau de nappe en papier blanc (éventuellement sur plusieurs épaisseurs) que vous scotchez sur le mur. Écrivez sur la première ligne horizontale les voyelles que l'enfant connaît. Laissez de la place pour celles qu'il doit encore découvrir. Écrivez verticalement les consonnes qu'il connaît en laissant de la place pour celles qu'il ne connaît pas encore.

	a	*é*	*i*	*o*	*u*	*on*	*eau*	*an*	*etc.*
ch	cha								
m	ma							man	
v		vé							
l	la			lo					
p	pa			pi			peau		
etc.									

Au lieu de ce tableau, vous pouvez tout simplement collectionner les syllabes que vous avez isolées sur une feuille A4 au fur et à mesure que vous avez coupé des mots simples connus. Je l'ai fait avec plusieurs enfants. Cela donne, par exemple, ceci :

ma - mi - man - mo - mu - mé...

pa - pi - pu - po – pé...

su - sa - son - sé - si - seau..., etc.

Ne tombez pas dans l'erreur de faire lire des pages de syllabes ! Cela ne ferait pas progresser votre enfant autant que vous pourriez l'imaginer. De plus, ce n'est vraiment pas intéressant ! Le but des activités que je viens de décrire est d'aider l'enfant à comprendre le système afin qu'il puisse lire un mot qu'il n'a jamais vu ou vérifier qu'il ne s'est pas trompé dans l'identification d'un autre. Dès qu'il a compris le principe de la fusion consonne-voyelle, il ne sert à rien de lui faire acquérir des automatismes avec des pseudo-mots : *mipalotu, tipimili, mutopilu, lupamoto, temapêlé* (extraits d'un cahier de lecture CP !). Il dirait sans doute, même s'il est capable de déchiffrer, qu'il ne peut pas lire ces mots. Tant mieux ! Cela prouve qu'il lit pour comprendre.

Un autre tour de magie

Si l'enfant connaît le son habituel des consonnes, amusez-vous à changer la première (ou une autre) lettre de certains mots et laissez-le découvrir le mot nouveau. C'est magique !

elle	joue	bouche	boule	pain	basse
belle	boue	touche	coule	main	casse
selle	roue	douche	poule	bain	passe
pelle	loue	mouche	foule	nain	masse
		louche	moule		tasse

tousse	cage	loi	beau	colle
housse	gage	moi	peau	folle
mousse	mage	roi	seau	molle
pousse	nage	toi	veau	
rousse	page			
	sage			

Inventez vos séries. N'utilisez cependant que des mots contenus dans le vocabulaire de l'enfant.

Dans le même ordre d'idées, proposez-lui, par exemple, *chameau* et demandez-lui de faire *chapeau* en changeant une seule lettre. Voici quelques paires :

foire/poire	dent/vent
biche/niche	balle/salle
bille/fille	boue/joue
roule/route	boue/roue
roule/rouge	feu/jeu...

Il commence à déchiffrer

François avait l'habitude de lire des petits messages que je lui adressais. Dès qu'il eut compris la fusion consonne-voyelle, je me suis amusée à introduire dans chaque message un mot qu'il serait obligé de déchiffrer. Souvent je lui disais que je ne pensais pas qu'il pourrait le lire (j'étais certaine du contraire !), ce qui le motivait d'autant plus à relever le défi.

Toujours dans le but de vous faciliter la tâche, voici des mots faciles à déchiffrer que vous pourrez introduire petit à petit pour inciter l'enfant à utiliser ses nouvelles capacités.

Attention ! Ne mettez pas plusieurs mots à déchiffrer (c'est difficile !) dans une phrase : vous risquez de dégoûter l'enfant !

ami, allô, avale, arrose, appétit, assis, attache

balle, banane, bave, bébé, barre, bosse, botte, bulle, bûche, ballon, biberon, boule

cabane, cabine, cacao, cache, café, cage, camarade, canari, carie, carotte, carré, casserole, cave, Coca-Cola®, caravane, colle, colorie, comme, côté, culotte, câlin, cochon, coton, couche, coucou, coule, coupe, couronne, coussin, céleri, cerise, Cécile, Céline, cinéma, cirage, chat, chemise, chasse, chocolat, cheval, chéri, chiffon

dame, dé, déballe, demi, début, déchire, décolle, décore, démarre, déménage, démoli(t), dérape, devine, débarrasse, dune, douche, démoule, découpe, débouche, debout

école, épée, épine, étale, été, éponge, écoute, étouffe

fané, farine, fini, fossé, fumée, fâché, facile, fou, feu

garage, gare, goutte

habite, haricot, hotte, hérisson

idée, image

joli, jupe, judo, jus, jeudi, joue, jour

kilo, képi, kiwi, koala

lama, lavabo, lave, lit, loto, lune, légume, lève, locomotive, limace, lèche, lapin, laine, louche madame, malade, mare, méduse, ménage, midi, mime, minute, moto, mou, mouche, mousse, monte, melon

nage, né, nappe, niche, nu, nid

orage, otite, opéré

page, pâle, panne, parasol, pas, passe, patate, patte, pâté, pelure, pédale, petit, pile, pipe, poche, polo, poli, police, pomme, pot, puni, potage, purée, parachute, pâtisserie, patin, poire, peau, poule, pente

quand, que, qui, quoi

radis, répare, racine, ramasse, rame, rose, rapide, ratisse, râpe, recule, remue, repasse, (se) repose, retire, robe, rêve, rôti, rit, riz, roi, ruban, roule

sage, salade, sale, salé, salive, sèche, sépare, si, sirène, sirop, solide, sonne, sous, sent, secoue, salon, savon, sandale, sapin, saute, seau

tache, tape, tapis, tasse, taxi, télé, tire, tête, timide, tube, tulipe, téléphone, toupie, tante, talon

une, utile, uni

vache, vase, vélo, vide, ville, vite, vole, voile, vin, vent

Winnie, wagon...

Zorro, zéro, zèbre...

S'il réussit, l'enfant cherchera à lire les panneaux qui se trouvent au bord de la route ; il voudra lire ce qui est écrit sur les camions, les affiches, les emballages, les enseignes. Dans ces circonstances et d'autres semblables, peu importent les mots qui sont décodés : le plaisir de l'enfant vient de ce qu'il est capable de lire.

Savoir déchiffrer n'est pourtant pas la finalité de l'apprentissage. Les parents sont ravis et très fiers que l'enfant se mette à déchiffrer et ont tendance dès ce moment à ne plus lui donner des mots entiers mais à le pousser à déchiffrer. Ils pensent qu'il progressera mieux ainsi. C'est faux ! On peut l'encourager à déchiffrer de temps en temps, mais il faut continuer à lui donner des mots entiers : le fait de savoir déchiffrer lui donnera la possibilité de vérifier que c'est bien ce mot-là et pas un autre. Exemple : « C'est *chocolat* parce que ça commence comme *chien*, puis je vois *o*, puis c'est *co* comme dans *cochon...* »

Plus l'enfant possède de mots qui lui permettent de vérifier ses hypothèses sur le code*, plus vite et plus facilement il lira de manière autonome.

Les mots nouveaux déchiffrés doivent être utilisés plusieurs fois dans des contextes différents et intéressants pour pouvoir être reconnus facilement par la suite.

Même s'il sait déchiffrer, il ne faut donner à lire au lecteur débutant que des mots et des expressions qu'il comprenne. Gardons les mots nouveaux et les tournures élaborées pour les lectures que nous continuons bien sûr à lui faire.

• Il veut vérifier

Très fier de ses nouvelles capacités, l'enfant veut les utiliser et vérifier si le système qu'il vient de découvrir fonctionne bien sur tous les mots. À tel point que vous aurez peut-être l'impression d'une régression ! Il va, par exemple, décortiquer le mot chocolat qui lui est archiconnu et ânonner : *cho...cco...la...t* et même peut-être poser la question : « Maman, pourquoi il y a un *t* à chocolat ? » Il suffit de répondre : « Parce qu'on dit aussi *chocolaté* et *chocolatier.* »

Dès qu'il aura pu vérifier qu'il s'agit bien du mot *chocolat*, il reviendra à une reconnaissance instantanée, qui n'est cependant plus la même qu'en début d'apprentissage : il sait ce qu'il contient ! Savoir déchiffrer est un progrès, mais peut entraîner une diminution momentanée de la vitesse de lecture.

• Il utilise ses nouvelles capacités

La plupart des enfants ayant compris le système de la fusion consonne-voyelle veulent l'utiliser pour communiquer et passent par ce que j'appellerai le « stade phonétique ». Ils tentent d'écrire des mots dont ils ne connaissent pas encore l'orthographe.

Marie (3 ans et 9 mois) a la maison des *ou* depuis un moment et une comptine de *ou*. Elle dit à sa maman que dans *minou* et *coucou* il y a des *ou* et lui demande de les ajouter dans la maison.

Pour allonger la liste, elle invente des mots. Comme sa mère lui dit qu'elle ne peut pas tous les noter, Marie les écrit elle-même : *mou-mou* et *roudoudou*.

Peu à peu, l'enfant doit convenir que l'orthographe des mots ne s'invente pas. Il n'y a aucun souci à se faire, et pour ma part j'ai beaucoup aimé ces moments très créatifs.

L'enfant qui a compris la fusion consonne-voyelle aime « écrire » des mots avec ses lettres mobiles. Commencez par lui demander d'écrire des mots très simples : *cage, fini, lune, midi...*

• Il pose des questions

Les minutieux ne vous laissent pas de répit ! Voici des exemples de questions qu'ils vous poseront :

« Pourquoi un *t* à *petit* ? » Réponse : « On peut dire *petite*. »

« Pourquoi un *s* à *radis* ? » Réponse : « Je ne sais pas. Il y a beaucoup de mots qui ont des lettres qu'on n'entend pas à la fin, on les appelle des lettres muettes. »

« *André, Anita* : pourquoi des fois on dit *a* et quelquefois *an* ? » Réponse : « Dans *André*, le *a* s'est marié avec le *n*. Dans *Anita*, le *n* va avec le *i* : on ne peut pas dire *An-ita*. Quand tu connaîtras bien le mot, tu ne te tromperas plus. »

« Pourquoi dans *monsieur* j'entends *e* et je vois *on* ? » Réponse : « Je ne sais pas ! C'est un mot bizarre. » (Voir à la fin de l'annexe 2 !) Voici d'autres mots bizarres : *femme*, (j'ai) *eu, doigt, clown, est, faon, cerf, poêle, compter, temps, oignon, examen, œil...*

En pointant *riz* sur le paquet : « Pourquoi c'est pas écrit comme *la vache qui rit* ? » Expliquez les homonymes à l'occasion comme ici, lorsque l'enfant les rencontre. S'il tombe sur *vert* et *verre*, expliquez-lui, mais ne lui donnez les autres homonymes que s'il vous le demande. Vous aurez l'occasion de parler de *ver* ou *vers* lorsque vous rencontrerez ces mots dans vos lectures.

L'enfant accepte facilement les informations. Mais il suffit d'aborder les difficultés de la langue française au fur et à mesure qu'il les rencontre. Par exemple, s'il connaît *c'est*, il ne faut pas lui administrer *ces* et *ses*. Attendez qu'il remarque ces mots lui-même.

Il s'agit de toujours donner à l'enfant une réponse à sa portée mais exacte. Si vous ne la connaissez pas, dites-lui que vous allez vous renseigner ou réfléchir et que vous la lui donnerez un peu plus tard.

La voie royale

Toutes les activités proposées p. 132 à 142 sont excellentes mais presque inutiles lorsqu'il s'agit d'un enfant passionné par l'écrit. Il réclame des mots pour rédiger ses phrases, mots qu'il mémorise, compare et analyse spontanément en dialoguant avec l'adulte. Il découvre le code seul. L'adulte n'a qu'à apporter les éléments qu'il réclame et répondre à ses remarques et questions. C'est d'une facilité déconcertante pour lui... et pour l'enfant. Plus ce dernier possède de mots, plus c'est facile. En annexe 4 (p. 222), vous trouverez le journal de la maman d'Adèle, qui a noté au jour le jour les mots donnés à sa fille ainsi que les commentaires de l'enfant permettant de constater comment elle progresse dans l'acquisition du code.

Un jour, l'enfant lit un mot qu'il n'avait jamais vu auparavant. Ce mot est reconnu par extrapolation à partir des mots connus. Par exemple, si l'enfant connaît *bateau, gâteau, chat, chapeau*, il y a beaucoup de chances qu'il puisse lire *château* qu'il voit pour la première fois.

Peu à peu, il est capable d'apprendre des mots nouveaux directement dans le texte. À ce stade, dans un petit livre, il pourra lire certains mots parce qu'il les connaît, en deviner d'autres grâce au contexte et aux indices qu'il possède (première syllabe ou première lettre, groupe de lettres connu, extrapolation, etc.).

Au fur et à mesure que l'enfant progresse dans l'acquisition du code, la part de l'hypothèse et de la devinette diminue pour devenir insignifiante. Dès qu'il a compris la fusion consonne-voyelle, qu'il découvre seul, tout va très vite. Les dernières correspondances graphèmes*/phonèmes* à « épingler » au cours des lectures sont acquises rapidement. Il ne reste plus qu'à lire et relire des textes intéressants pour obtenir la fluidité.

13. Vers l'autonomie

Dans un livre que vous lisez avec l'enfant, celui-ci peut :
 – connaître des mots que vous lui avez donnés auparavant ;
 – en déchiffrer d'autres, éventuellement avec votre aide ;
 – en deviner certains grâce au contexte, aux illustrations et/ou aux correspondances grapho-phonologiques* qu'il connaît (lettre, syllabe ou groupe de lettres connu). Il faut l'y encourager et vérifier ensuite avec lui ses hypothèses.

Prenons comme exemple *Le Pique-Nique d'Émilie*. (L'enfant connaît les deux mots.)

C'est aujourd'hui le jour du pique-nique. Munissez-vous d'un petit bristol. Montrez *c'est* et prononcez-le. C'est un petit mot qui revient souvent dans le livre et que l'enfant reconnaîtra très vite à force de le rencontrer. Éventuellement, amusez-vous à introduire ce mot dans d'autres phrases : *C'est la fête. C'est le jour de la piscine.*

Montrez *aujourd'hui*. Si l'enfant ne connaît pas ce mot, demandez-lui s'il connaît quelque chose dans ce mot (par exemple, *au, ou*), puis dévoilez-le syllabe par syllabe avec le petit bristol. Si besoin, utilisez-le immédiatement en écrivant des phrases simples comme : *Aujourd'hui (son prénom) va à l'école. Aujourd'hui on va chez mamie.*

Montrez *le* : il peut deviner ou déchiffrer ce mot. Puis *jour* – si l'enfant ne connaît pas ce mot, il peut se dire : « C'est comme *joue* et *r : jou-r.* » Faites remarquer qu'il y a *jour* dans *aujourd'hui*. Ensuite *du* : dites-lui le mot s'il ne le connaît pas et faites remarquer le *u* qu'on entend.

Enfin, *pique-nique* est un mot qu'on aura donné globalement avant de lire le livre. Si l'enfant a déjà un mot en *-ique (musique)*, écrivez-le sous *pique-nique* pour faire ressortir la similitude. Une autre fois, on fera la page *ique* dans le classeur-maisons avec *musique* et *pique-nique*. Faites remarquer *pique : Je te pique... Le moustique pique...*

Relisez la phrase pour l'enfant en montrant chaque mot. Demandez-lui de la relire lui-même en suivant chaque mot du doigt. Félicitez-le. Ne lisez pas plus d'une phrase par jour au début.

Le lendemain, relisez la phrase de la veille et peut-être de l'avant-veille avant d'en lire une nouvelle.

Aidez l'enfant qui commence à déchiffrer

• Continuez à donner des mots entiers

Même s'il commence à déchiffrer et surtout s'il enregistre les mots entiers facilement, il faut toujours lui en donner davantage insérés dans de courtes phrases intéressantes, en analysant avec lui le mot par la suite.

Par exemple, dans le même livre : *Il y a plein de gros nuages dans le ciel. Il y a* : en une fois. Procédez comme pour *c'est* ci-dessus.

Plein : le *ein* de *peinture*...

Gros : comme *grand*, mais au lieu de *an*, c'est *o*

Nuages : *nu* et puis je vois *a* et puis *ge* comme dans *orange, mange, nage*. Comme il y a beaucoup de nuages, il y a un *s* à la fin. Un *nuage*, beaucoup de *nuages*...

Ciel : c'est comme *miel*... et comme *Céline, cirage*...

Si l'enfant connaît le son de la plupart des lettres, il suffira de rapprocher deux mots pour les comparer ou d'en entrer certains dans des maisons pour les mémoriser. Il les apprendra grâce aux répétitions du mot nouveau et à la relecture du petit livre.

• Mettez le doigt sous chaque mot que l'enfant lit

Aidez-le dès qu'il hésite plutôt que de lui dire, par exemple : « Mais si, tu sais lire ce mot-là, réfléchis ! » Si l'enfant sent que lire n'est pas difficile puisque vous êtes là pour l'y aider, il aimera lire avec vous et progressera.

• Lorsque vous faites lire un mot nouveau à l'enfant qui commence à déchiffrer, **cachez le mot à partir de la deuxième syllabe** : faites-lui lire la première syllabe et encouragez-le à deviner le reste d'après le sens de la phrase, afin qu'il perçoive le plaisir de lire une histoire avant de savoir tout déchiffrer. (Lorsqu'il connaîtra tous les sons, il pourra « vérifier » qu'il a bien lu.) Exemple : *On aide maman à préparer les san... dwiches au jambon, un gâteau au chocolat...*

• **Soulignez** d'un trait de crayon les sons *on, ein, an*, pour faciliter le déchiffrage par l'enfant et faites-lui toujours relire le mot globalement ensuite.

S'il hésite souvent lorsqu'il rencontre un certain son, aidez-le sans attendre et revoyez éventuellement la maison de mots contenant ce dernier.

• Repérez les sons nouveaux

Lorsque vous rencontrez dans le texte un son que l'enfant ne connaît pas encore, faites-lui remarquer qu'il ne tient dans aucune des maisons (listes ou collections) qu'il possède déjà. Il faut donc en créer une nouvelle : par exemple, *gn* pour *montagne, campagne...* Chaque fois que vous rencontrerez un mot contenant *gn*, on l'ajoutera à la liste qu'on relira ensemble. Dès que l'enfant déchiffre aisément les mots contenant le son en question, il n'est plus nécessaire d'allonger la liste.

• Ne vous inquiétez pas des inversions

L'enfant qui vient de comprendre la fusion consonne-voyelle a quelquefois tendance à déchiffrer à première vue : il dira par exemple *li* pour *il ou j-ma...* dans *jambon*. N'en concluez pas que votre enfant est dyslexique ! Seulement, il vient d'apprendre que *l + i = li*, que *m + a = ma*, et peu lui importe pour le moment dans quel sens ! Il veut, dans sa précipitation, appliquer ce qu'il vient de découvrir ! Ces incidents sont tout à fait courants et passagers : avec un peu de pratique, tout rentrera dans l'ordre.

• Ne reprenez pas trop tôt l'enfant qui se trompe

Il pourra probablement rectifier lui-même son erreur en lisant le reste de la phrase. Exemple : l'enfant lira peut-être *et les coussins* au lieu de *et les cousins...*, puis se reprendra sans doute lorsqu'il aura lu *s'en vont*. Cela parce qu'il a l'habitude de faire du sens avec ce qu'il lit, plutôt que de déchiffrer uniquement. Les enfants qui ont appris à lire uniquement par une méthode synthétique *(b a-ba)*, déchiffrent tout mais ne cherchent pas toujours à comprendre ce qu'ils lisent.

• **Redites toujours la phrase** ou la partie de phrase que vous venez de déchiffrer ensemble afin d'en favoriser la compréhension.

Il ne faut donner à lire au lecteur débutant que des mots et des expressions qu'il comprenne. À ce stade, son vocabulaire écrit doit se nourrir de son vocabulaire oral. Donc, pas de mots inconnus ou de tournures élaborées qu'il ne comprend pas bien ; réservons ceux-ci pour les lectures que nous lui faisons, grâce auxquelles il enrichit son vocabulaire et sa syntaxe. *Lire, c'est d'abord comprendre un texte écrit.* Plus tard, lorsque l'enfant aura acquis une certaine fluidité en lecture et sera capable de décoder n'importe quel mot, son vocabulaire pourra s'enrichir à partir de ses propres lectures. Même si un enfant sait déchiffrer, il est normal qu'il ne puisse pas lire un mot qui ne fait pas partie de son langage oral puisqu'il ne le comprend pas. Lorsqu'il lira tout à fait couramment, il pourra le faire et s'interrogera sur la signification du mot nouveau.

• Il y a intérêt à **lire et relire les textes** pour favoriser la reconnaissance instantanée des mots et amener l'enfant à la fluidité qui augmentera la compréhension.

Plus on lit vite, mieux on comprend ! Il existe des petits livres spécialement conçus pour les lecteurs débutants chez tous les grands éditeurs. Ils contiennent généralement des mots qui reviennent souvent, ce qui facilite également leur reconnaissance instantanée.

MDI : *Je lis tout seul* – 1re étape (un peu rétro, mais très efficace).
Hatier : *Ratus jaune* – lecteurs débutants.
L'École : *Lire par plaisir* –présérie, série I.

Beaucoup d'enfants aiment reprendre d'anciens *Pomme d'api*, *Belles Histoires* ou *Toupie* qu'ils sont fiers de lire maintenant tout seuls. Se souvenant plus ou moins des histoires, ils peuvent les lire plus aisément, tout en s'exerçant inconsciemment à reconnaître les mots de manière instantanée. (Les textes des deux premiers mensuels mentionnés ont l'avantage d'être découpés en portions de phrases qui facilitent la lecture et la compréhension.)

Les parents ont tendance à donner toujours du nouveau à déchiffrer dès que l'enfant a compris le principe de la fusion consonne-voyelle, alors qu'il est beaucoup plus profitable pour lui de lire souvent les mêmes mots pour faciliter leur mémorisation. Vous savez bien déchiffrer et pourtant vous ne lisez pas les mots suivants avec facilité si vous n'avez pas étudié le grec : *prolégomènes, platyrrhiniens, pseudépigraphe, achondroplasie...* Imaginez l'effort demandé à l'enfant qui commence à déchiffrer. Ne l'obligeons pas à le faire pour chaque mot !

Un enfant ne peut se concentrer que très peu de temps. Lorsqu'il commence à se débrouiller, proposez-lui de lire la première phrase de l'histoire et vous, lisez le reste. Plus tard, la première phrase de chaque page, de chaque paragraphe, etc. Ainsi il lira un peu, pourra s'intéresser vraiment à l'histoire et se reposer pendant que vous lisez. Cette manière de procéder le motive parce qu'il veut connaître la suite de l'histoire. Il y trouvera du plaisir et se fatiguera moins vite. Faites-lui toujours remarquer ses progrès en le félicitant.

Lorsqu'il arrive à lire et déchiffrer presque tout – cela est valable pour tous les enfants au CP –, montrez-lui une phrase ou une partie de phrase et dites-lui de « lire dans sa tête » et de vous dire ce qui est écrit. Pour ce faire, il sera obligé de comprendre le texte et ce procédé l'empêchera d'ânonner. C'est très important : un enfant qui ânonne oralise un texte mais ne peut pas le comprendre. La plupart des enfants ayant des difficultés en lecture déchiffrent sans comprendre.

Perrine a appris à lire avec moi dès 3 ans et demi. Elle habite la maison voisine ; il lui suffit de traverser le jardin pour venir me voir. La porte est toujours ouverte et je suis heureuse de laisser tomber instantanément mes occupations.

Elle est rentrée des vacances d'hiver, transformée : « J'ai lu ces trois livres toute seule ! » Je la félicite et, après quelques minutes, perçois le sens de sa jubilation : elle a définitivement percé le secret des grands ; les livres lui parlent... à elle toute seule. Elle n'a eu besoin de personne pour connaître l'histoire et elle sait que cela pourra se reproduire autant de fois qu'elle le souhaitera.

Sa stratégie de lecture s'est modifiée : elle lit la phrase des yeux, éventuellement fronce les sourcils, puis dit ce qu'elle a lu, très naturellement. Elle sait que l'écrit a toujours un sens, du moins devrait toujours en avoir. Même si l'année prochaine l'institutrice de CP laisse ânonner sa classe, Perrine est vaccinée contre cette mauvaise habitude.

Lisant le mot *attention* pour la première fois, elle demande : « Pourquoi il y a un *t* et pas un *c* ? » Je lui réponds que sa question est fort intéressante et nous cherchons ensemble d'autres mots en *tion* : *récréation, punition, circulation...*
Elle est venue me voir pendant un an et demi, quand elle en avait envie, en moyenne une ou deux fois par semaine sauf pendant les vacances scolaires.

Donnez-lui le goût de lire

Inscrivez l'enfant dans une bibliothèque, si ce n'est pas encore fait. Expliquez-lui le fonctionnement et laissez-le choisir les livres qu'il veut emprunter. Pensez à prendre un petit livre qu'il puisse lire seul ou à un plus petit et des histoires passionnantes que vous continuerez à lui lire. Il est essentiel que l'enfant sache que, même s'il sait lire, vous continuerez à lui faire la lecture aussi longtemps qu'il le souhaitera. Il arrêtera spontanément de vous le demander dès qu'il sera capable de lire « dans sa tête » plus vite que vous ne lisez le texte à voix haute.

Donnez-lui des livres qui lui plaisent et faciles à lire. Il réussira et progressera plus rapidement.

Abonnez-le à un mensuel du type *J'aime lire* (Bayard Presse) : les textes sont clairs et bien aérés avec des illustrations, les histoires souvent passionnantes.
Permettez-lui de lire un moment avant d'éteindre la lumière le soir. Même s'il n'est pas encore passionné, il pourrait se prendre au jeu (on ferait n'importe quoi à cet âge pour se coucher plus tard !) et peu à peu éprouver le besoin de lire chaque soir.

Offrez-lui son premier dictionnaire.

Erwann (5 ans) prend déjà plaisir à lire des petits livres tout seul. Mais il adore surtout dessiner et agrémente tous ses dessins de légendes ou de bulles. Il va spontanément chercher dans ses livres l'orthographe de beaucoup de mots. C'est l'occasion rêvée pour lui faire découvrir le dictionnaire. En voici quelques-uns particulièrement adaptés aux enfants de moins de 6 ans :

Larousse des maternelles – 4-7 ans, 2 000 mots : agréable, illustré.

Le Dictionnaire du Père Castor (Flammarion) – 5-8 ans, 5 000 mots, 1 500 images.

Mon premier Larousse en couleurs... que mon fils François (4 ans et demi) m'a fait lire de bout en bout ! Il l'avait trouvé par hasard parmi de vieux livres et me l'avait apporté : « Maman, lis ! » J'ai cédé, pensant qu'il se fatiguerait très vite des définitions de mots. À mon étonnement, il s'est passionné pour ce dictionnaire ; chaque fois qu'il me l'apportait, nous lisions ensemble une double page : il lisait le mot et moi le commentaire.

Les jeunes enfants, à condition qu'on leur fasse suffisamment la lecture, sont véritablement passionnés par les mots.

NEUF RÈGLES D'OR POUR RÉUSSIR

Ne pas vouloir lui apprendre à lire à tout prix. *L'idée de cette démarche n'est pas d'enseigner la lecture, mais de mettre à la disposition de l'enfant ce dont il a besoin pour qu'il puisse découvrir par lui-même le fonctionnement du langage écrit.*

Être enthousiaste et détendu. *Il faut aussi intéresser l'enfant sinon il n'apprend pas et penser d'abord à lui faire plaisir.*

Lui laisser la possibilité de prendre ou de laisser *et chercher à savoir ce qui l'intéresse.*

Lui faire confiance : *ne pas faire répéter ce qu'il sait ; lui souffler l'information lorsqu'il hésite.*

Saisir les occasions *qu'il nous donne de l'aider à progresser en répondant à toutes ses remarques et questions, afin d'installer le dialogue sur l'écrit de manière naturelle dans la vie quotidienne.*

L'observer et essayer de comprendre comment il fonctionne : *aller dans son sens au lieu de suivre des conseils à la lettre.*

Suivre *son* **rythme**, *rapide ou lent.*

Être toujours positif *et féliciter souvent.*

Savoir qu'il n'existe pas de méthode magique. *Le merveilleux est dans chaque enfant.*

LA TECHNIQUE EN DIX RAPPELS

Donner des mots **affectifs, grands et isolés.**

Utiliser les mots dans plusieurs **phrases intéressantes.**

Classer les mots *dans l'ordre alphabétique, afin que l'enfant puisse découvrir le son habituel des lettres.*

Profiter des **commentaires** *pour faire des maisons.*

Faire des petits livres *ou* **tenir le journal de l'enfant.**

Couper *des mots oralement et avec des ciseaux.*

Jouer *avec des* **lettres mobiles.**

Répondre aux questions *pour progresser.*

Un peu de **magie** : *p a-pa.*

« Lis dans ta tête et dis-moi ce qui est écrit. » **(Compréhension.)**

14. L'essentiel et des solutions

Il est indéniable que certains enfants sont plus rapides et plus faciles à suivre que d'autres.

Si vous ne disposez que de très peu de temps ou si vous n'avez pas « la tête à ça », je voudrais vous persuader que le peu que vous ferez sera toujours profitable pour l'enfant.

Les mots appris globalement lui auront permis de comprendre ce que « lire » veut dire. Vous aurez exercé sa mémoire visuelle et l'enfant aura pris l'habitude – **c'est capital** – de les reconnaître et de les comprendre instantanément. Il aura « senti » en quoi consiste l'acte de lire. Ainsi qu'une spirale, l'acquisition simultanée et progressive des correspondances lettres/sons facilite énormément la mémorisation de mots nouveaux qui elle-même facilite l'acquisition complète du code*.

Contrairement à ce que pensent de nombreuses personnes, déchiffrer est très difficile et fatigant, même pour l'enfant très motivé, alors que mémoriser visuellement des mots entre 3 et 5 ans lui est facile... s'il en a envie. Plus l'enfant possède de mots, moins on a besoin de l'aider et plus il est à même de découvrir seul.

Une des clés du succès est de varier l'approche, les activités, les moments, les supports.

Faites au moins l'essentiel

Vous n'avez le temps (ou l'envie) de faire que le minimum. Voici les activités essentielles à répartir dans le temps :
– faites la lecture à votre enfant ;
– donnez-lui son prénom et quelques mots affectifs comme préconisé dans ce livre ;

– écrivez toujours ce qu'il vous demande (sur n'importe quoi) et répondez à toutes ses questions et remarques sur l'écrit, ce qui l'amènera peut-être à identifier le son de certaines lettres et groupes de lettres ;

– procurez-lui un abécédaire et des lettres magnétiques. Soyez très attentif à ses remarques et répondez à toutes ses questions ;

– Donnez-lui de temps en temps sa liste de courses pour le supermarché : *pâtes, bonbons, yaourt* ; écrivez avec lui une carte postale à un proche, etc ;

– à n'importe quel moment (dans le bain, en train, en voiture...), aidez-le à apprendre progressivement le son des lettres en recherchant oralement avec lui quelques mots commençant par une lettre qu'il aime. Écrivez au moins un mot pour chaque lettre (*m* comme *maman*, *p* comme *papa*, *v* comme *vélo*...) au feutre ordinaire sur du papier ou sur un tableau ;

– écrivez de temps en temps, au tableau ou sur du papier, une phrase qui l'intéresse ou qui le fait rire ;

– jouez à rechercher avec lui quelques mots contenant un certain son (*ou, on, ette*, etc.) et prenez la peine d'écrire au moins deux ou trois de ces mots, afin que l'enfant puisse se rendre compte de leurs graphies ;

– jouez à couper des mots simples en morceaux (voir p. 133).

Avec ce bagage, il arrivera bien préparé au CP !

Si vous avez du mal à l'intéresser

Maxime (4 ans) ne s'est pas intéressé aux mots qu'on lui a proposés. Il ne mange pas de façon équilibrée et sa maman a fini par lui expliquer pourquoi elle ne pouvait pas lui faire des crêpes tous les jours. J'ai conseillé à la mère d'écrire les menus : depuis, chaque soir, ils décident ensemble de ce qu'il mangera le lendemain. Ainsi, l'enfant se constitue un capital-mots qu'il utilise régulièrement... et mange mieux ! Il s'intéresse à l'écrit parce que celui-ci fait partie de sa vie quotidienne. Déjà, il a remarqué que *mushrooms* commence comme *mummy*. (Sa langue maternelle est l'anglais ; il parle français à l'école.)

Sa mère commente : « Dès que j'essaie de structurer, il se détourne. » En fait, l'enfant se détourne dès que vous enseignez au lieu de l'aider à apprendre. Il est vrai que certains enfants supportent l'« enseignement ». Mais il est toujours plus efficace de donner des informations en laissant à l'enfant la liberté d'en prendre et d'en laisser.

La maman de Christine : « Les mots ne semblent pas l'intéresser. Elle n'est passionnée que par les voitures : elle les reconnaît toutes, ainsi que les camions. Elle joue des heures avec ses petites voitures et connaît toutes les marques. » J'ai conseillé à la maman d'écrire les marques que l'enfant pourra associer à chaque voiture. Ainsi, dans la rue, elle s'amusera à reconnaître aussi les enseignes. Cela l'amènera sans doute à poser des questions sur les autres écrits qu'elle rencontrera.

Une autre maman : « Je m'aperçois qu'il faut vraiment marcher avec ce qu'il veut... Ce n'est pas évident ! J'ai eu du mal à admettre que je devais me laisser guider par lui. C'est difficile d'être à l'écoute. Maintenant je suis vraiment persuadée que c'est le seul moyen efficace. »

S'il ne mémorise pas les mots facilement

Dans la grande majorité des cas, si l'enfant ne mémorise pas les premiers mots avec facilité, c'est tout simplement parce qu'on n'a pas su l'intéresser. Cependant, pour aider certains enfants, il est bon de savoir qu'on peut diviser l'apprentissage en quatre étapes :

– l'adulte montre le mot nouveau ou mal connu et deux ou trois autres connus en les nommant : l'enfant les manipule autant qu'il le souhaite. On peut utiliser des images correspondantes et jouer à associer image/mot ;

– l'adulte nomme chaque mot et l'enfant, les ayant sous les yeux, les recherche dans une liste ou sur une page de ses livres ;

– l'enfant peut prélever un mot parmi d'autres étiquettes ;

– il identifie chaque mot isolément.

Il est toutefois indispensable que l'enfant prenne plaisir à ces activités (trouvez le bon moment, soyez confiant, toujours positif, félicitez au moindre progrès...). Sans cela, ces activités ne serviront à rien et risquent même de le détourner des lettres et des mots.

Si vous disposez de suffisamment de temps, voici un autre moyen d'utiliser les étiquettes-mots que l'enfant ne mémorise pas facilement (éliminez ceux auxquels il ne porte aucun intérêt) :

– recherchez des images, gommettes ou faites des dessins correspondant aux mots que l'enfant possède ;

– proposez-lui de prendre une image et de la mettre sous le mot qui lui correspond (les mots étant étalés) ;

– lorsqu'il y parvient, étalez les images et demandez-lui de mettre le mot sur l'image.

Afin qu'il puisse jouer tout seul, vous pouvez faire un signe identique au dos des paires image/mot, ce qui lui permettra une autovérification.

Ne faites **pas** les exercices de discrimination visuelle classiques qu'on trouve un peu partout. Exemples :

– Colorie *chat* : chat, éclats, rat, chat, chut, chiot, plat, drap, chat, chat.

– Colorie *avion* : violon, avais, Olivia, avion, avec, olive, vrai, avion, avale, avons.

À ce premier stade de reconnaissance graphique (il n'a pas encore de repères de correspondance lettre-son), il est normal que tous les enfants, quels qu'ils soient, confondent ces mots.

Utilisez toujours de vrais mots : il ne faut pas permettre au cerveau d'enregistrer des combinaisons de lettres qui n'existent pas dans la langue en question. Le cerveau enregistre tout : le vrai et le faux. Il faut lui faciliter la tâche !

Si l'enfant n'aime pas ou n'arrive pas à mémoriser des mots,

– montrez-lui un mot qui l'intéresse sur étiquette, mélangez-le immédiatement à quatre autres et demandez-lui de le repérer. Mélangez encore et répétez l'opération (nommez souvent le mot !) ;

– un autre jour, demandez-lui d'entourer les mots qui sont pareils et de barrer ceux qui ne sont pas pareils. Selon l'âge, quatre à cinq couples à la fois !

Exemples :

bain	pain	parle	perle
louche	bouche	monté	monte
main	main	souriant	souriant
mouche	couche	goûte	goûter
gentil	gentil	regarder	regardez
boulier	soulier	boule	boude
mignon	mignon	aimable	aimable
cousin	coussin	monstre	montre
cheveux	chevaux	délicieux	délicieux
glace	place	porte	poste
bagage	garage	fusée	fumée
adorable	adorable	bulle	balle
toile	école	plaisant	plaisant
sable	sabre	fille	bille
grossis	grossir	chameau	chapeau
charmant	charmant	boule	boude
boulon	bouton	poivre	poire
perdre	prendre		

S'il ne fait pas de remarques spontanées

L'adulte peut faciliter la découverte des correspondances graphèmes*/phonèmes* s'il organise l'environnement pour que l'enfant puisse relever les constantes, comprendre les relations et donc établir les correspondances.

Si l'enfant a une trentaine de mots mais ne fait pas de remarques spontanées (ne vous inquiétez cependant pas de l'enfant qui ne fait pas de remarques s'il a beaucoup de mots) qui vous permettraient de créer une page de répertoire ou une maison, vous pouvez l'y amener de la manière suivante :

– supposons qu'il ait dans ses mots : *maman, mamie, moto...* Prenez ces mots ainsi qu'un autre au hasard, mais très différent (ne commençant pas par la lettre *n*, par exemple), et demandez-lui s'il remarque quelque chose, ou proposez-lui de vous donner les mots qui « commencent pareil ». Ainsi, vous suscitez les remarques et la découverte. Procédez ensuite comme indiqué p. 79 ;

– faites de même avec, par exemple, *jardin, sapin, dessin* ou *chapeau, gâteau, bateau*, en lui demandant de prendre les mots qui « finissent pareil », et créez la maison des *in* ou des *eau* (voir p. 86).

Des couleurs pour les sons

Avec des enfants « différents », j'ai surligné les sons dans les maisons avec les couleurs suivantes, leur évocation rappelant le son :

an	orange
ou	rouge
oi	noir
eu	bleu
er (mer)	vert
au	jaune
eau	jaune
in	bordeaux (vin)
ain	bordeaux
ein	bordeaux
et	violet
ai	fraise
ei	beige (j'en ai eu l'idée, sans avoir l'occasion de l'utiliser)
s	rose
un	brun

Puis faites des jeux concernant les sons (page 108).

Soyez organisé

Si l'enfant n'est pas demandeur, prévoyez ce que vous allez faire ensemble :

– ne le mobilisez pas avant de savoir ce que vous allez faire avec lui ni avant d'avoir à votre disposition le matériel dont vous aurez éventuellement besoin (feutres, ciseaux, colle, etc.) ;

– pensez au mot nouveau qui pourrait l'intéresser ;

– préparez (dans votre tête) la ou les phrases que vous allez « écrire », que ce soit avec les étiquettes, sur papier ou au tableau ;

– si vous voulez insister sur une lettre ou un son, sortez les mots qui vous sont nécessaires de la boîte de rangement ;

– rangez toujours les mots dans l'ordre alphabétique.

Tout cela pour éviter les temps morts qui dissipent et ennuient l'enfant : il faut capter son attention ! Si vous n'êtes pas organisé, il s'ennuiera et enverra tout promener ou refusera de jouer à votre jeu.

Variez les activités

Une des clés du succès est de varier l'approche, les activités, les moments, les supports avec les mots, les lettres, les sons, les syllabes.

Ne vous servez toutefois jamais du livre de lecture que l'enfant utilisera en CP. Il s'ennuierait en classe. Il aime ce qui est nouveau.

Cependant, si l'enfant a 5 ans, que vous avez fait l'essentiel (voir ci-dessus), mais que vous avez du mal à vous investir dans ce que je propose, ou qu'il demande expressément à apprendre à lire dans un livre, vous pouvez essayer une petite méthode traditionnelle :

- *Méthode de lecture syllabique pour apprendre à lire pas à pas*, C. et J. Delile (Hatier) ;
- *Rémi et Colette* (Magnard).

Je vous indique ces méthodes parce qu'elles ne sont quasiment jamais utilisées en milieu scolaire. Certains enfants aiment progresser dans un vrai livre « pour apprendre à lire », bien que les textes qu'ils contiennent ne soient pas très attrayants. N'oubliez pas de toujours faire relire la phrase que l'enfant vient de déchiffrer, afin d'éviter l'ânonnement.

Cela peut marcher pendant quelques semaines... Surtout, ne tentez jamais de forcer l'enfant qui n'en veut plus. Vous pourrez sans doute à ce moment-là revenir à d'autres petits livres en poursuivant l'analyse des sons que l'enfant ne connaît pas encore avec notre système des maisons.

En conclusion, je ne peux que me répéter : rien n'est inutile si vous le faites dans le but d'aider votre enfant, sans jamais rien lui imposer. S'il sent la moindre contrainte, il se détournera et n'apprendra pratiquement rien.

Le but n'est pas qu'il sache lire avant les autres, mais bien que les habiletés mentales indispensables au savoir-lire puissent se mettre en place au rythme de chacun et dans la sérénité afin d'éviter de mauvaises surprises à l'école élémentaire.

15. L'intérêt de cette démarche pour les enfants atteints d'un handicap

J'ai la joie de pouvoir être utile à des enfants handicapés, par l'intermédiaire de leurs parents ou de leurs éducateurs. Ceux-ci, toujours en quête de ce qui pourrait améliorer le sort des enfants, ont été encouragés à prendre des idées et à adapter l'aide à l'apprentissage que je propose à ces enfants différents. Je souhaite que les quelques témoignages ci-dessous incitent d'autres parents, orthophonistes, éducateurs à faire de même. L'idéal serait que ces enfants puissent bénéficier d'aide à l'apprentissage de l'écrit à la maison comme à l'école maternelle ou au sein de l'institution qui les prend en charge.

Rémi (25 mois) est né avec une hypotonie importante. Actuellement, neurologues et généticiens n'ont pas encore mis de nom sur son problème, mais ses parents, surtout sa maman, en partenariat avec les professionnels (principalement le psychomotricien), ont déplacé des montagnes pour arriver au résultat actuel. Rémi marche ! Mais il ne parle pas... Il est frustré de ne pas pouvoir exprimer ses besoins et ses envies par la parole. La découverte des mots écrits ainsi que le langage des signes lui ont ouvert les portes de l'échange entre mère et fils, frère et sœurs... Rémi est heureux de se faire comprendre. Complice, il participe activement et se sent valorisé, ce qui est essentiel pour pouvoir progresser sur le chemin de l'apprentissage.

Il connaît parfaitement : *Rémi, papa, maman, cheval*, le prénom de sa sœur... et possède une vingtaine d'étiquettes-mots. Il en reçoit une lorsqu'il s'intéresse particulièrement à quelque chose (*coccinelle, Capi* [le nom du chien], *piscine*...), mais s'en va ailleurs si on lui demande de montrer un mot. Il montre aussi le *i* de *Rémi* dans ses livres.

Ses sœurs, selon son intérêt du moment, lui dessinent un animal ou un objet et ont pris l'habitude d'écrire dessous le mot en script. L'autre jour, un dessin de sa nouvelle casquette étant affiché, il a dit « hum, hum » en montrant spontanément à sa maman le mot puis le dessin. Rémi « explique » qu'il comprend la relation mot-dessin.

Dysphasie

Pour le Dr Catherine Billard, neuropédiatre dans l'unité de rééducation neuropsychologique et motrice de l'enfant à l'hôpital du Kremlin-Bicêtre (Paris), le langage écrit constitue une aide précieuse à la rééducation des jeunes enfants dysphasiques (enfants qui ne parlent pas ou refusent de parler).

Diego est un enfant dysphasique de 2 ans et 10 mois. Sa maman a adopté avec lui le système d'association image/mot. Il en connaît une trentaine, mais les phrases ne semblent pas encore l'intéresser. Il prononce quelques mots de deux syllabes. Dès qu'il ébauche, ou fait un effort pour dire un mot, sa maman le lui écrit. Il s'intéresse aussi aux lettres : le *v* de *Vinciane*, le *p* de *papa*.

L'enfant peut prendre le mot qu'on lui demande parmi d'autres ; il a déconcerté les médecins, neurologue compris, qui ne comprennent pas qu'il lise des mots avant de savoir les dire. L'apprentissage de la lecture sera toutefois plus facile pour lui que pour l'enfant sourd.

Surdité

Tous les enfants sourds devraient profiter d'un apprentissage précoce de la lecture, dès 2 ans. Que l'on ait opté pour la méthode verbo-tonale, le langage parlé complété ou la langue des signes, l'écrit doit être introduit en associant chaque mot à son référent.

Je ne saurais trop conseiller de lire :

– *La Lecture précoce chez les enfants sourds*, de Ragnhild Söderbergh, ainsi que la bibliographie s'y rapportant ;

– *L'Enseignement du langage écrit aux enfants sourds d'âge préscolaire*, de S. Suzuki et M. Notova. (Pour ces références, voir la bibliographie, p. 247.)

L'enfant sourd a tout intérêt à posséder le plus tôt possible d'autres langages pour compenser sa perception déficiente du langage oral. Si l'apprentissage de la compréhension du langage écrit (la lecture) est entrepris en même temps que celui de l'oral, le premier aidera à certains moments le second à se construire. Il faut donner au jeune enfant sourd le plus possible de mots écrits en les associant directement à leur objet. Il pourra rapprocher des mots par leur graphie (*chat, chien, chocolat, cheminée...*) et faire des associations grapho-phonémiques*, éventuellement avec l'aide d'autres méthodes destinées aux enfants sourds.

À 3 ans, Laëtitia (sourde profonde) possédait un vocabulaire de 250 mots écrits. Elle utilisait quelquefois l'écrit pour s'exprimer : par exemple, lorsqu'elle voulait jouer tranquillement avec sa petite sœur, elle prenait les deux étiquettes portant leurs prénoms dans la chambre.

Ses parents ont utilisé très tôt avec elle le LPC (langage parlé complété, aussi appelé *cued speech*), codage phonétique de la langue qui aide la lecture labiale. Le LPC permet à l'enfant sourd d'avoir une meilleure compréhension du langage oral, surtout des petits mots (articles, prépositions, pronoms) qui, sortis de leur contexte, n'ont aucune valeur sémantique, ainsi que du temps des verbes : *je mange, j'ai mangé, je mangerai...* Cette meilleure compréhension facilite et favorise, d'une part, son expression orale et, d'autre part, l'acquisition de la lecture, puisqu'il pourra plus facilement comprendre ce qu'il lit et découvrir les correspondances grapho-phonémiques*.

Depuis longtemps, la lecture permet à Laëtitia d'enrichir son vocabulaire oral. Elle a 7 ans et suit normalement le CE 1 (deuxième année élémentaire).

Autisme

Le Dr Catherine Milcent, psychiatre des hôpitaux à Chartres, déclarait lors d'un colloque à Paris en janvier 1991 : « La lecture et l'écriture aident l'enfant présentant des syndromes autistiques à décoder l'environnement. » Des parents d'enfants autistes m'ont rapporté avoir commencé à adapter avec succès ce que je propose.

Une enseignante en moyenne section de maternelle m'a rapporté qu'un enfant autiste de 5 ans, scolarisé dans sa classe, avait appris à lire avec sa maman grâce à ce livre.

Trisomie 21

Plusieurs parents d'enfants trisomiques ont appliqué ce qui est proposé dans ce livre. Certains ont obtenu des résultats tout à fait étonnants.

Frédérique (3 ans et demi) possède 75 mots et a découvert le son habituel de plusieurs lettres ainsi que ceux de plusieurs groupes de lettres.

L'itinéraire est exactement le même pour ces enfants que pour n'importe quel autre. On est quelquefois obligé de fractionner les tâches et l'évolution peut être très lente. Il est conseillé de commencer dès que l'enfant ébauche quelques mots. Les progrès en langage oral sont quelquefois très significatifs dès les premières semaines suivant l'introduction du langage écrit. L'institutrice, impressionnée par les prouesses de Luc-Édouard (4 ans, maternelle moyens), a introduit l'écrit en force dans sa classe et expliqué aux parents ce qu'elle faisait. La pédagogie a été modifiée dans toutes les classes maternelles de cette école. Les pictogrammes ont disparu ! Depuis, en deux-trois ans, Luc-Édouard a découvert le « système » et essaie de déchiffrer tout ce qu'il rencontre. Au moment où j'écris ces lignes, sa maman me dit qu'il lit *Dumbo* et n'a plus que la fluidité à acquérir : c'est long, mais on y arrive ! Elle lui fait bien sûr toujours la lecture. Il a mis du temps à apprendre à rouler à vélo, tout comme il a mis du temps à apprendre à lire.

Amélie (7 ans) joue avec des mots depuis deux mois, en reconnaît plusieurs dizaines et a commencé spontanément l'analyse. D'ailleurs, lorsqu'elle n'arrive pas à prononcer correctement un mot, elle demande qu'on le lui écrive.

Une orthophoniste s'occupant d'une adolescente trisomique de 18 ans me dit que celle-ci se remet à parler depuis qu'elle lui montre des mots écrits.

En 1998, la maman de Mario m'écrit qu'elle a utilisé ce livre parallèlement aux séances d'orthophonie pour apprendre à lire à son fils avant son entrée au CP qu'il a pu suivre normalement. Elle a insisté sur le fait qu'apprendre à lire a permis à Mario d'apprendre à parler.

Déficience intellectuelle

De nombreux éducateurs m'ont dit leur joie et leur étonnement de voir tous les enfants (à des degrés divers) reconnaître et réclamer des mots.

Une jeune débile a, apparemment, une mémoire visuelle étonnante : elle a demandé et appris 50 mots pendant les vacances de Noël. Personne n'avait pensé à lui apprendre à lire avant.

Une orthophoniste raconte : « Depuis trois ans, je m'échine à apprendre à lire à Christophe de manière traditionnelle. Il a appris péniblement toutes les lettres et des sons *an-in-on...* Mais les mots, c'est tellement mieux !

« Le découpage du discours oral en mots n'était pas évident pour lui. Le fait de jouer avec les mots écrits, de les déplacer, de les permuter dans les phrases l'a beaucoup aidé. Il voit enfin que les syllabes forment des mots. Avant, c'était mécanique, cela ne voulait rien dire... [parce que ce n'étaient pas ses mots à lui]. Arrivé au bout du mot, il avait prononcé, fait du bruit, mais cela n'avait aucune signification pour lui.

« Pourtant, je lui avais appris globalement *le, la, un, une* parce qu'on s'en sert tout le temps, mais ça ne rentrait pas. C'était trop abstrait !

« Maintenant, avec tous les enfants, je commence avec des noms, puis un verbe et j'introduis les articles quand j'en ai besoin. Christophe apprend les mots à toute vitesse et il est très heureux. Il voulait tellement apprendre à lire, mais je n'avais pas su m'y prendre !

« J'utilise beaucoup votre système des "maisons" : on recherche par exemple des mots en *ou* ; il les retrouve très bien.

« Je ne le vois que deux fois par semaine, mais il fait des progrès spectaculaires. Il emmène de petits textes à lire chez lui ; je lis le bonheur sur son visage !... C'est génial parce que je peux travailler en même temps le langage oral – il a aussi un retard de langage – et écrit. L'un aide l'autre ! C'est tellement plus valorisant pour de grands enfants de "faire du langage" avec des mots écrits qu'avec des images. De plus, les enfants sont très motivés à bien articuler les mots qu'ils aiment. Ils sont heureux !

« Je trouve que vous avez une méthode très "Chassagny" [pédagogie relationnelle du langage] : observant l'enfant, partant de ce qu'il vit, de ce qu'il fait... sans plaquer une méthode... J'ai une nouvelle passion pour mon métier... Merci. »

J'ai longtemps hésité à transcrire l'enregistrement audio de cette séance. Je le fais en espérant que ce témoignage donnera envie à d'autres orthophonistes de sortir des sentiers battus.

Pour tous ces enfants, il faut fractionner au maximum les tâches et multiplier les exercices-jeux sur les mots, les lettres et les sons, de façon à leur permettre de réussir, profiter de ce qu'ils sont capables de faire et développer ce qui leur manque par le jeu. Pratiquer une pédagogie tous azimuts et pleine de bon sens.

Problèmes psychomoteurs

Guillaume (7 ans) est en classe de perfectionnement. Il n'a marché qu'à 3 ans, est incapable de se relever tout seul et ne peut pas écrire. De plus, il est particulièrement turbulent. Depuis que ses parents se sont inscrits au stage « Apprentissage naturel de la lecture », il a mémorisé 120 mots, trouvé des analogies entre eux et identifié des syllabes. Il avait appris les lettres tout seul grâce à la télé. Parallèlement, son institutrice a commencé la méthode *Nicolas et Caroline*. Comme il connaît toutes les phrases du livre par cœur, ses parents en utilisent les mots pour les combiner à d'autres dans de nouvelles phrases, qu'il n'a pas de mal à lire. Malheureusement, comme il ne reste pas en place, Guillaume passe beaucoup de temps dans le couloir... La maîtresse le garde uniquement parce qu'il « fait des progrès en lecture ». Il est le seul à comprendre ce qu'il lit et à écrire (avec des lettres mobiles) des mots de mémoire. Il a été amené en consultation dans un autre hôpital où on a constaté que, puisqu'il apprend à lire, il n'est pas idiot !

Au cours de la troisième séance avec les parents, je m'aperçois que Guillaume a découvert beaucoup de correspondances grapho-phonémiques* et commence à déchiffrer spontanément. Bien qu'il soit déclaré non débile, il est toujours question de le mettre en IMP (institut médico-pédagogique)... et il n'est pas prévu qu'il y apprenne à lire.

Je souhaite que les parents et les éducateurs qui s'occupent d'enfants handicapés fassent confiance à leur intuition et leur bon sens et se lancent dans l'aventure de la découverte du langage écrit. Tant que l'enfant s'amuse, ils ne peuvent que lui faire du bien et seront étonnés des résultats !

TROISIÈME PARTIE

Le point sur les questions importantes

1. Comment aider l'enfant qui veut écrire ?

Il est important que l'enfant s'exprime d'une manière ou d'une autre :

– en utilisant des étiquettes ;

– en collant des mots découpés ou écrits sur étiquettes autocollantes ;

– en utilisant l'ordinateur ;

– en manipulant des lettres mobiles ;

– en écrivant de sa main, s'il le souhaite ;

– avec ses doigts, en traçant sur le sable, les vitres embuées...

Sa coordination motrice étant souvent insuffisante avant 5 ans, il n'est pas indispensable que l'enfant trace les lettres de sa propre main. L'important est qu'il produise de l'écrit d'une manière ou d'une autre, et commence à l'utiliser comme un outil fonctionnel de communication.

On fait beaucoup de graphisme dès la petite section de maternelle et les enfants sont beaucoup mieux préparés à l'écriture en entrant au CP qu'à la lecture. Un enfant ne redouble d'ailleurs jamais le CP parce qu'il ne sait pas écrire, mais parce qu'il ne sait pas lire !

Faire copier un texte par l'enfant sans que celui-ci soit conscient de sa signification n'a, à mon avis, pas de sens. Malheureusement, cela arrive encore de nos jours dans certaines écoles maternelles. Une maman s'inquiétant de ce que sa fille ne savait pas ce qu'elle avait écrit à l'école se vit répondre par l'institutrice que « l'enfant n'a pas à savoir ce qu'il écrit », sous prétexte qu'« en maternelle on n'apprend pas à lire mais à écrire ». Habituer l'enfant à copier sans vouloir comprendre peut lui être préjudiciable !

Toutefois, il est vrai que beaucoup d'enfants veulent écrire de leur propre main, surtout vers 4 ans, quelquefois plus tôt. Il faut donc mettre à la disposition de l'enfant ce dont il a besoin pour écrire et l'y aider si nécessaire. Il est indispensable qu'il ait des crayons et des feutres, ainsi que du papier à profusion. Une table et un siège à sa hauteur lui apprendront plus facilement à garder une distance suffisante entre ses yeux et le papier.

Tant qu'il est satisfait par ce qu'il écrit, encouragez-le, mais n'intervenez pas. Tous les enfants imitent l'écriture. Souvent apparaît d'abord la première lettre de leur prénom suivie de gribouillis censés imiter l'écriture adulte.

Les gribouillis ne sont pas innocents : l'enfant imite ce qu'il voit. Formés de « vagues » imitant l'écriture, souvent ponctués d'accents (pour les enfants dont la langue maternelle est le français) et de points, ils sont le reflet de l'environnement de l'enfant, ainsi que le montre le document ci-contre, extrait de la revue *Éducation* de l'Unesco, reproduisant les gribouillis de quatre enfants de cultures différentes.

Tenir son crayon

Dès qu'il ne tient plus son crayon dans la paume de la main mais avec les doigts, il est important de montrer à l'enfant comment le tenir correctement... et de recommencer gentiment autant de fois qu'il sera nécessaire. Félicitez-le dès qu'il y parvient. Il peut être plus ou moins long de prendre une bonne habitude, mais il est très difficile d'en déraciner une mauvaise.

Gribouillage en français d'une fillette
bilingue canadien-français âgée de 4 ans.

Écrit d'une fillette de langue arabe,
âgée de 4 ans et demi, vivant aux États-Unis.

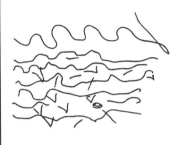

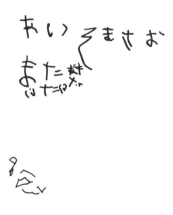

Dessin d'un enfant chinois
de Hong-Kong âgé de 3 ans.

Écrit d'un enfant japonais
âgé de 5 ans et 3 mois.

Nombre d'adultes tiennent très mal leur stylo : les doigts crispés, quelquefois congestionnés, se fatiguent très vite. La tension musculaire empêche l'écriture rapide ; l'espoir de pouvoir prendre des notes de manière efficace est moindre.

Le crayon doit être pris dans la pince pouce-index et reposer sur le majeur comme sur le dessin ci-dessous.

Il faut comprendre que les enseignants ont beaucoup de mal à surveiller la tenue du crayon d'une trentaine de bambins en même temps. Avec certains enfants, il faut user de beaucoup de douceur et de patience. Si le vôtre a déjà pris une mauvaise habitude et que vous n'arriviez pas à l'en défaire, vous pouvez utiliser l'« aide-écriture » qui s'enfile aisément sur le crayon et permet à l'enfant d'apprendre ou de corriger le positionnement des doigts pour écrire ou dessiner.

Écrire ce qu'il veut

Dès que l'enfant s'énerve parce que son écrit ne correspond pas au modèle qu'il veut copier, il faut se faire un devoir de l'aider. Aidez-le à écrire tout de suite ce qu'il souhaite écrire, le plus souvent son prénom ; il est normal qu'il souhaite copier les mots qu'il connaît, des mots chargés de sens pour lui. D'ailleurs, on remarque que l'écriture scripte est composée uniquement de ronds et de bâtons. Dès que l'enfant est capable d'écrire un *a* et un *i*, il est virtuellement capable de former toutes les lettres de l'écriture scripte.

Si votre enfant est en grande section de maternelle et écrit « en attaché » à l'école (écriture cursive ou anglaise), il voudra sans doute utiliser celle-ci à la maison. Il faut, bien sûr, accéder à sa demande et lui donner à côté de l'étiquette-mot le modèle en écriture cursive. Expliquez-lui que l'écriture des étiquettes sert à lire (montrez-lui qu'elle correspond à ses livres) et que l'autre sert à écrire. Il est utile que l'enfant dispose de l'alphabet écrit dans ces deux écritures et que les mots écrits en cursive soient comparés à ceux écrits en script.

Écrire au tableau

(En ce qui concerne le choix de son acquisition, reportez-vous à la p. 115.)

Le tableau est à l'écriture ce que les grosses lettres sont à la lecture : un moyen de rendre l'apprentissage plus facile.

Il est en effet plus facile pour un jeune enfant d'écrire debout sur un tableau fixe qu'assis sur un cahier ou une feuille qu'il devra tenir de la main libre. La motricité exigée pour écrire sur un cahier est plus fine que celle demandée pour écrire au tableau. Tracez trois lignes horizontales sur le tableau en expliquant à l'enfant que celle du bas sert à asseoir les lettres, celle du milieu à arrêter les petites lettres, et celle du haut à arrêter les grandes lettres.

Commencez par exemple par écrire son prénom – ou tout autre mot qu'il souhaite – légèrement à la craie afin qu'il puisse repasser dessus avec une craie plus foncée, ou en pointillés sur un tableau Velleda®. Tracez la première lettre et proposez-lui de repasser dessus. Il est important de fractionner la difficulté afin que l'enfant ait la joie de réussir ce nouvel apprentissage.

Commentez ce que vous faites. Imaginons, par exemple, que vous vouliez lui montrer comment écrire *Julien* : « Je commence tout en haut et je fais un grand bâton pour le *J* majuscule ; on lui fait un petit crochet pour l'asseoir sur la ligne du bas. À toi : on commence où ? Oui, tout en haut et tu descends, tu descends jusqu'en bas et tu mets le petit crochet. Bravo ! Maintenant, regarde : je lui mets un petit chapeau. À toi ! Voilà. Oui : c'est la lettre *J*. Maintenant, on va faire un *u*. Je commence là et je descends jusqu'en bas pour faire une petite cuvette et je remonte. À toi... » Félicitez souvent. N'insistez pas si l'enfant se fatigue : on reprendra le lendemain... ou un autre jour !

Lorsqu'il voudra écrire les mots lui-même, faites-lui un modèle en haut du tableau qu'il puisse copier à l'aide des trois lignes horizontales.

Il faut lui laisser bien évidemment le loisir d'écrire sur papier s'il le désire et l'y aider dans le même esprit.

Claire (4 ans) aime beaucoup recopier les mots sur son tableau. Sa maman l'écrit une première fois à la craie. Elle l'efface, mais il reste une trace légère qui lui permet de réécrire le mot. Elle est très fière. C'est ainsi qu'elle a pris l'habitude d'écrire de gauche à droite.

Tracer les lettres dans le bon sens

Il est important que l'enfant prenne l'habitude de tracer les lettres dans le bon sens : les ronds dans le sens inverse des aiguilles d'une montre et tous les bâtons du haut vers le bas.

S'il persiste à écrire certaines lettres ou chiffres à l'envers, le meilleur conseil que je puisse donner est d'adopter l'idée de Maria Montessori qui consiste à :

– découper la ou les lettres que l'enfant inverse, souvent le s et le e, dans du papier de verre fin, le corps de la lettre mesurant 8 à 10 cm et le trait environ 1 cm d'épaisseur ;

– coller la lettre ainsi découpée sur une fiche bristol de 21 cm x 14,8 cm ;

– proposer à l'enfant de passer l'index et le majeur réunis sur la lettre rugueuse en lui indiquant le point de départ par un point de couleur. Il le fait d'abord les yeux ouverts, ensuite les yeux fermés. Cette activité a pour but de faire intérioriser par l'enfant le mouvement de l'écriture au moyen du toucher. Il pourra ensuite reproduire la lettre avec plus de facilité.

Pratiquement tous les enfants inversent des lettres en début d'apprentissage. Si le vôtre fait systématiquement toujours la même erreur, il faut agir.

Utiliser des cahiers d'écriture ?

Il n'est évidemment pas interdit d'offrir à l'enfant un cahier d'écriture du commerce si vous pensez que cela peut l'occuper pendant les vacances. Tous les grands éditeurs scolaires en proposent. Choisissez celui qui vous semble le plus adapté à votre enfant, à ses capacités du moment : il est important qu'il réussisse ce qui est proposé dans le cahier. Achetez plutôt celui qui vous semble facile. Votre enfant réussira, voudra en faire d'autres et il progressera dans la bonne humeur.

Donnez-lui l'habitude de respecter les cahiers ; ne lui permettez pas de faire n'importe quoi ni de les déchirer. C'est la porte ouverte aux cahiers sales et mal tenus à l'école élémentaire !

Utiliser des cahiers d'écriture n'est pas du tout indispensable ; l'enfant écrit beaucoup à l'école et cela suffit le plus souvent. Si le vôtre semble avoir du mal en graphisme, notez que la grande spécialiste de l'écriture est Danièle Dumont (http://danieledumont. monsite.wanadoo.fr). Elle propose des cahiers très progressifs (éditions Hatier).

2. Comment aider l'enfant en orthographe ?

Je n'avais initialement pas l'intention de parler d'orthographe dans ce livre. Cependant, tant de parents me posent des questions à ce sujet au cours des stages qu'il m'est apparu nécessaire d'y répondre.

On distingue l'orthographe grammaticale de l'orthographe lexicale. Nous parlerons principalement de la seconde.

L'orthographe d'usage

L'orthographe lexicale, aussi appelée orthographe d'usage, relève essentiellement de la mémoire visuelle. Si l'apprentissage de la lecture a débuté en habituant d'abord l'enfant à reconnaître les mots, on aura exercé sa mémoire visuelle et il sera mieux armé pour apprendre l'orthographe. Mais, surtout, on lui aura donné très jeune la bonne habitude de regarder. Très souvent, les enseignants qui utilisent une méthode synthétique (*b a-ba*) apprennent aux enfants à écrire en écoutant les mots : ils leur dictent par exemple le mot *tomate* en les invitant à décortiquer le mot par l'oreille. C'est une très mauvaise habitude donnée aux enfants : si ceux-ci continuent à fonctionner ainsi, ils auront des difficultés à écrire par exemple *bateau* ou *peinture* : ils ne sauront pas quel */o/* ou quel */in/* utiliser.

Il faut bien sûr connaître les correspondances habituelles lettres/sons, mais celles-ci ne permettent pas à elles seules de bien orthographier. Il est indispensable que la mémoire visuelle qui reconnaît le mot et le comprend entre en jeu pour l'écrire. À mon avis, l'école ne devrait pas donner en dictée à l'enfant des mots qu'il est encore obligé de décoder, qu'il n'est pas encore capable de reconnaître facilement.

Pour écrire de mémoire le mot *chapeau*, il faut non seulement avoir saisi la fusion consonne-voyelle, mais aussi percevoir ce mot en mémorisant le *eau*. Il n'y a pas de règle qui permette de retenir la forme graphique du son /o/ ; il faut obligatoirement mémoriser, de préférence visuellement, l'orthographe du mot. Pour vous en convaincre, il suffit de prendre conscience de ce que vous faites lorsque vous ne vous souvenez plus s'il faut un ou deux n dans tel mot... Vous l'écrivez de deux manières différentes pour voir ce qui va le mieux !

Une étude relatée dans *Communication et langages* (n° 67, Retz) nous éclaire sur les stratégies utilisées par les enfants pour orthographier des mots : les « bons en orthographe » disent qu'ils visualisent le mot à écrire ou ses parties, tandis que les « mauvais en orthographe » prononcent le mot (un ou deux sons à la fois) et l'écrivent phonétiquement.

Il est indéniable que certains enfants sont plus auditifs que visuels. Toutefois, si à l'école maternelle la mémoire visuelle était sollicitée autant par l'écrit que la mémoire auditive l'est avec des échanges verbaux, des chansons et des comptines, je suis persuadée que l'apprentissage de l'orthographe poserait moins de problèmes.

À l'entrée au CP, l'enfant est bien préparé à mémoriser par l'oreille, alors que son œil n'a pas l'habitude du langage écrit, ou si peu. Il doit tout à coup non seulement apprendre à lire, mais être capable d'écrire des centaines de mots avant la fin de l'année. Je pense que c'est exiger un effort démesuré de l'enfant qui n'y est pas préparé.

Je n'ignore pas qu'on exerce la « discrimination visuelle » en maternelle pour préparer l'apprentissage de la lecture, mais la plupart du temps on ne le fait pas suffisamment avec des mots. Puisqu'il est généralement admis que, d'une part, les visuels ont plus de facilité à acquérir une bonne orthographe que les auditifs et que, d'autre part, l'habitude mentale d'évocation visuelle[28], c'est-à-dire l'habitude de « voir le mot dans sa tête », est susceptible d'être développée par un entraînement approprié, alors faisons « travailler » très tôt la mémoire visuelle.

• Stimuler la mémoire visuelle

En montrant très tôt des mots écrits, ainsi qu'il est proposé dans ce livre, nous sollicitons la mémoire visuelle de l'enfant et la développons. Toutes les écoles maternelles devraient montrer des mots aux enfants (en rapport avec leurs intérêts et leurs aptitudes visuelles) dès la petite section.

---

28. Selon Pierre Causy, dans *Aidez votre enfant en orthographe*, Éditions du Rocher, 1989.

Dès que possible, il faut développer chez l'enfant qui écrit l'habitude de « voir le mot dans sa tête ». Les correspondances lettres/sons sont certes une aide, mais c'est une erreur d'habituer l'enfant à écouter les parties d'un mot pour l'écrire, comme de commencer l'apprentissage de la lecture en lui enseignant à transformer en sons des signes écrits qui n'ont pas de signification pour lui.

• Aider l'enfant à l'école élémentaire

Voici comment vous pourrez aider votre enfant en CP pour les mots qui lui posent des difficultés : écrivez le mot en écriture bien épaisse sur une fiche. Demandez-lui quelle écriture il préfère voir : il se pourrait qu'il évoque mentalement une certaine écriture avec plus de facilité qu'une autre.

Analysez ensemble les caractéristiques du mot, puis dites-lui de le « mettre dans sa tête ». Otez-le lui de la vue et demandez-lui ensuite s'il pense pouvoir l'écrire. Sinon, remontrez le mot très brièvement. Incitez-le encore à « voir le mot dans sa tête » et demandez-lui de l'écrire de mémoire. S'il réussit à l'écrire correctement, félicitez-le en montrant le mot pour qu'il puisse vérifier. Sinon, encouragez-le en disant que ce n'est pas tout à fait exact, mais sans lui faire remarquer sa faute, et recommencez le procédé. Si l'enfant hésite, proposez de lui montrer le mot brièvement plutôt que de le laisser faire une erreur. Découvrez éventuellement le mot syllabe par syllabe. L'enfant doit pouvoir écrire le mot correctement plusieurs fois de suite.

Un détail important : tant qu'il s'agit d'écrire des mots isolés, faites écrire l'enfant sur une feuille que vous pliez horizontalement sous chaque mot écrit, de façon à pouvoir les cacher au fur et à mesure. Il n'est en effet pas souhaitable qu'il ait sous les yeux les mots écrits de manière erronée ; ceux-ci s'imprimeraient dans son cerveau de la même manière que leur image exacte.

Par ailleurs, je pense qu'il serait profitable que l'enseignant corrige lui-même les mots mal orthographiés dans les copies de ses élèves, plutôt que de souligner les fautes que l'enfant risque de fixer. Ou alors il faudrait que l'enseignant ne rende jamais une dictée, mais donne à chaque enfant des mots (ceux qu'il avait mal écrits) à apprendre à la maison, comme indiqué ci-dessus.

Dans le même ordre d'idées, j'ai trouvé géniale l'idée d'un professeur de donner aux élèves cinq minutes à la fin de chaque dictée pour consulter le dictionnaire. S'il hésite au sujet d'un mot, l'enfant aura la chance de le voir écrit correctement et par conséquent d'apprendre. Ce n'est pas en faisant des fautes qu'on apprend. Il est ensuite très difficile d'effacer les erreurs. Souhaitons que davantage de professeurs pratiquent cette pédagogie de la réussite qui fait vraiment progresser les enfants. Il est également dangereux d'échanger les copies entre élèves au moment de la correction de la dictée. Un enfant bon en orthographe, mais pas très sûr, y apprendra comment devenir beaucoup moins bon. À force de voir des fautes, on finit par en faire !

• À ne jamais faire !

Revenons à nos jeunes enfants. Il est néfaste de leur faire faire des exercices qui consistent à repérer les vrais mots parmi d'autres qui n'existent pas ou qui sont orthographiés de manière incorrecte. Encore une fois, l'image incorrecte d'un mot s'imprime aussi bien dans leur mémoire que la bonne.

Exercice valable :
Entoure *sorcière : sorcière - souricière - suisse - sorcière - soupière - salière - sorcière - souris - sorcière - sourcier.*

À ne jamais faire :
Entoure *sorcière : sorcière - sordière - saucière - sorcière - sorsierre - socrière - sorsière - sorcière.*
Si vous rencontrez ce genre d'exercice dans un cahier de vacances, ou dans un petit journal acheté pour votre enfant, éliminez-le sans attendre.

Lorsque l'enfant sera au CP, il ne servira à rien de lui faire copier des mots afin d'en apprendre la bonne orthographe. Il ne faut vraiment pas espérer qu'il apprenne à les écrire correctement de cette manière. S'il connaît le mot, il pensera à autre chose et risque de faire une faute. S'il ne sait pas l'écrire, il copiera probablement lettre à lettre en pensant aussi à autre chose, ce qui ne lui apprendra pas à voir et à mémoriser l'image correcte du mot.

Le système des maisons permet à l'enfant de prendre de bonnes habitudes pour orthographier : Marie (5 ans) écrit spontanément un message à sa marraine. Ne se souvenant plus comment écrire un mot, elle demande à sa maman s'il s'écrit avec le *eau* de *bateau* ou le *au* de *jaune*. C'est un excellent réflexe !

L'orthographe grammaticale

La meilleure façon d'aboutir à une bonne orthographe grammaticale automatique est de lire pour comprendre, et de faire continuellement référence au sens pour écrire. Comme l'exprime bien François Le Huche[29] dans son livre, « il faut apprendre à écrire comme on comprend, et non comme on entend ».

Les circonstances font que nous abordons l'orthographe quelquefois très tôt avec nos jeunes enfants, mais uniquement en fonction de leurs besoins. En effet, n'hésitons pas à leur faire remarquer sommairement le pluriel des verbes et des noms s'ils en ont besoin pour rédiger ce qu'ils veulent exprimer (voir p. 95). Par exemple : *Élise et Constance dansent, Mathieu a perdu ses lunettes.*

Limitons-nous aux particularités orthographiques ou grammaticales dont ils ont besoin pour écrire, ou au sujet desquelles ils nous posent des questions : c'est à ce moment précis qu'ils sont prêts à les recevoir, à les comprendre avec le plus de facilité.

Comme pour l'apprentissage du code*, je ne pense pas qu'il faille abreuver l'enfant trop tôt avec quantité de règles d'orthographe inutiles, mais plutôt laisser l'orthographe s'installer naturellement par la lecture. Si l'enfant se pose une question, il faut lui donner beaucoup d'exemples qui lui permettront de comprendre la règle[30]. S'il a la tête farcie de règles qu'il essaie d'appliquer au moment d'écrire, il ne peut plus penser au sens de ce qu'il écrit et ne peut pas acquérir une bonne orthographe naturelle.

---

29. François Le Huche, *Les Apprentissages de la communication : parler, lire, écrire,* Ramsay, 1990.
30. Encore une application de la théorie de Jerome Bruner !

3. La dyslexie

On a longtemps assimilé la dyslexie au fait de confondre des lettres ou des sons voisins. La plupart des enfants confondent en effet des lettres en début d'apprentissage, sans qu'il s'agisse pour autant de dyslexie.

La dyslexie est un trouble d'apprentissage du langage écrit. Elle se manifeste par des difficultés persistantes à apprendre à lire et à acquérir les automatismes liés à la lecture. Elle concerne des enfants intelligents, normalement scolarisés et indemnes de troubles sensoriels. Elle s'accompagne de grandes difficultés en orthographe.

Il est important de faire la différence entre la dyslexie vraie et les problèmes de lecture dont les origines peuvent être fort diverses : pauvreté du langage due au milieu, problèmes psychologiques, méthode de lecture ou rythme d'enseignement inadaptés à certains enfants.

La dyslexie vraie est constitutionnelle. De nombreuses fonctions cérébrales sont impliquées dans l'acte de lire (plus on l'étudie, plus il semble complexe). Le mauvais fonctionnement d'une de ces fonctions peut entraîner une dyslexie.

Les stratégies de lecture

Le bon lecteur identifie les mots selon deux stratégies alternatives :

– soit il traite le mot dans son ensemble et le reconnaît de façon globale grâce à sa forme et à son contexte sémantique ;

– soit il analyse le mot inconnu en faisant la transposition graphophonémique*, un son correspondant à une ou plusieurs lettres.

Chez le dyslexique, il y a déséquilibre entre ces deux stratégies :

– soit il utilise exclusivement une seule stratégie ;

– soit il utilise les deux, mais pas de manière efficace.

Selon que l'enfant utilise l'une ou l'autre, on distingue trois types principaux de dyslexie :

– la dyslexie phonologique : l'enfant a des difficultés à faire la conversion grapho-phonémique ;

– la dyslexie perceptive : moins fréquente, elle se caractérise par l'impossibilité de posséder un stock visuel de mots immédiatement disponibles permettant une lecture fluide ;

– la dyslexie mixte : l'enfant a des difficultés par rapport aux deux processus.

En face d'un enfant présentant des difficultés à lire, il est donc important d'analyser ses stratégies mentales afin de pouvoir pratiquer une rééducation adéquate.

Une rééducation adaptée à chaque cas

Il est réconfortant de constater que les recherches récentes en pédopsychiatrie, neuropsychologie et neuropédiatrie mettent maintenant l'accent sur la nécessité d'une rééducation diversifiée de la dyslexie.

Parce qu'aucun dyslexique n'a exactement les mêmes problèmes qu'un autre dyslexique, la rééducation devra donc s'attacher non seulement à traiter une incapacité, mais aussi à renforcer une capacité existante et à développer des stratégies compensatoires. Ce point de vue n'est malheureusement pas encore généralisé ni partagé par tous les orthophonistes, faute de formation adéquate. Des services spécialisés de grands hôpitaux proposent aujourd'hui une formation continue destinée aux orthophonistes afin d'actualiser leurs connaissances et leurs pratiques.

J'ai été très heureuse d'entendre le Pr Gaillard, neuropsychologue à Lausanne, affirmer lors d'un colloque international sur la dyslexie organisé par l'Union nationale France dyslexie : « Les stratégies du dyslexique sont rigidifiées trop précocement. Pour apprendre à lire, on ne lui aurait permis d'utiliser qu'une petite partie de son cerveau, au lieu de l'aider à utiliser simultanément le maximum de capacités. »

Cela rejoint tout à fait ce que nous pensons. Pour aider le jeune enfant à apprendre à lire, il faut :

– d'une part, lui permettre de développer ses stratégies préférées ;

– d'autre part, l'aider à utiliser le maximum de fonctions cérébrales à un âge où il est d'une souplesse extraordinaire.

Vraie et fausse dyslexie

Je suis sûre que beaucoup d'enfants qualifiés de dyslexiques ne le seraient pas si on leur avait permis de découvrir le langage écrit plus tôt et à leur rythme en utilisant simultanément plusieurs stratégies.

La plupart des enfants qui inversent ou confondent des lettres ont appris à lire avec le *b a-ba* traditionnel et ne sont jamais sortis du déchiffrage. Ils ne lisent pas encore. Il aurait fallu d'abord leur apprendre qu'un mot, une phrase « veut toujours dire quelque chose », leur apprendre à vouloir comprendre ce qui est écrit, au lieu de leur enseigner d'abord à transformer des signes écrits en sons. Considérons le cas d'un enfant qui a sous les yeux un texte relatif à la mer. Même s'il confond le *b* et le *d*, s'il a pris la bonne habitude de vouloir comprendre ce qui est écrit, il ne lira pas : *Le dateau s'en alla sur la mer.*

Au lieu de s'évertuer, par des exercices fastidieux, à faire la différence graphique entre le *b* et le *d* que l'enfant n'arrive pas à faire, il vaudrait mieux, pour compenser la déficience, l'aider à s'appuyer sur le reste du mot et le contexte pour l'identifier. Une maman me relate que sa fille de 7 ans n'aime pas lire. Sur le conseil de sa maîtresse, elle a consulté un orthophoniste qui a entrepris de la rééduquer selon une méthode classique pendant un an, deux fois par semaine. Cela l'a bloquée encore davantage. La maman a décidé d'arrêter la rééducation, mais lui donne à lire des histoires qui devraient lui plaire. Elle lui pose des questions sur ce qu'elle a lu en ayant l'air de vraiment s'intéresser à l'histoire... L'enfant commence à lire des livres pour son plaisir.

Hugues (CE2) lit en ânonnant, butant presque sur chaque mot. Sa maman passe beaucoup de temps à le faire travailler chaque soir ; les résultats ne suivent pas. Elle s'est inscrite au stage que j'anime parce qu'elle a un autre enfant de 4 ans et ne « veut pas revivre la même chose avec lui ». Elle me demande de voir Hugues. Je constate qu'en effet l'enfant s'englue dans les lettres, les syllabes et de ce fait ne peut comprendre ce qu'il lit. Sa mère ne lui fait lire que les textes correspondant à ses leçons. Très docile, Hugues a appris à lire en CP avec la méthode gestuelle ; il a appris à transposer des signes en sons, mais n'a jamais appris à lire. J'ai conseillé à sa mère de lui faire lire, pendant un quart d'heure chaque soir, des histoires susceptibles de l'intéresser, en appliquant les conseils que je donne pour aider tout lecteur débutant : « Lis dans ta tête, puis dis ce qui est écrit. » (Voir « Vers l'autonomie », p. 148.) L'année suivante, Hugues, méconnaissable, caracole en tête de sa classe et a retrouvé sa joie de vivre.

Il est primordial de donner d'abord à l'enfant le sens de la lecture et l'envie de comprendre l'écrit.

Sandrine (CP) a un mal fou à lire les exercices : *lar – ral – bo – ob...* (Son père est dyslexique.) Mais elle lit bien des petits livres de la bibliothèque. C'est l'essentiel !

Il n'en reste pas moins que certains enfants (je dirais 2-3 % ; c'est l'avis de certains neuropsychologues) sont de véritables dyslexiques, c'est-à-dire des enfants qui sont appelés, malgré une intelligence quelquefois supérieure à la moyenne, à souffrir tout au long de leur parcours scolaire. Ce sont des enfants travailleurs dont les enseignants trop souvent méconnaissent les difficultés. Il est regrettable que ces derniers ne reçoivent aucune formation concernant la dyslexie.

Déceler une dyslexie

L'apprentissage naturel de la lecture tel que proposé dans cet ouvrage devrait permettre de déceler une dyslexie latente avant le CP afin de la traiter le plus tôt possible. Lors de la première édition de ce livre, après sept années de suivi de familles, je n'avais eu connaissance que d'un cas (parmi des centaines d'enfants), décelé par la mère à 5 ans, qui a pu bénéficier d'une rééducation dès l'entrée en CP et éviter l'échec. Pourtant, statistiquement, nous aurions dû en rencontrer davantage. Gageons que l'initiation naturelle au langage écrit permet à des enfants de juguler une prédisposition à la dyslexie. J'ai rencontré d'autres cas constatés chez des enfants de CE1 n'ayant pu bénéficier de ce que je propose : la prise en charge est beaucoup plus longue et difficile. Chaque fois, les parents ont regretté de ne pas avoir connu ce livre plus tôt.

Une amie américaine, docteur en sciences de l'éducation, avait constaté que son fils, qui avait appris à lire dès 3 ans comme sa sœur, avait eu beaucoup moins de facilité qu'elle, mais lisait très bien dès 6 ans. Remarquant que vers 9 ans il avait toujours du mal à se repérer dans l'espace, elle le fait tester ; les résultats montrent une « dyslexie » sévère, mais les examinateurs n'en reviennent pas de constater la performance en lecture de cet enfant.

Très souvent, on dit aux parents de ne pas s'inquiéter. Personnellement, je les invite à être vigilants si l'enfant :
– a un gros retard de langage. Consultez un pédiatre et une orthophoniste. Les défauts de prononciation ne sont pas graves mais nécessiteront l'intervention de l'orthophoniste s'ils ne disparaissent pas vers 4-5 ans ;
– ne réussit pas les tâches qui lui sont demandées à l'école. Attention ! Certains enfants bâclent le travail demandé à l'école parce qu'il est trop facile et ne les intéresse pas ;
– est incapable à 4 ans d'apparier des lettres ou des mots identiques. Exemple : l'enfant doit être capable de relier les lettres et les mots identiques suivants :

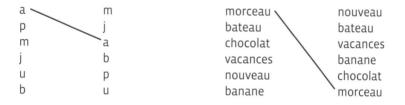

– n'est pas capable de découper les mots oralement à 5 ans : *ba-teau, cho-co-lat, tar-tine, cro-co-dile...* ;
– ne retient aucune comptine ou poésie apprise à l'école ;
– n'est pas capable, à 5 ans, de colorier « ce qui est pareil » dans des mots écrits grand, par exemple dans les séries suivantes :

chocolat, chien, chat, niche, chèvre, vache,
soupe, chou, foule, poule, ours, hibou,
farine, fine, foule, café, faux, canif ;
– n'est pas capable, à 5 ans, de colorier un mot apparaissant plusieurs fois parmi d'autres. Par exemple *violon* dans : *olive, violon, Olivia, viole, violon, voile, violon, volions, voilier ;*
– n'est pas latéralisé* à 5 ans, c'est-à-dire ne se sert pas toujours de la même main ou du même pied. En effet, la plupart des enfants dyslexiques sont mal latéralisés. Toutefois, confondre gauche et droite n'empêche pas l'apprentissage de la lecture même si, convenons-en, cela ne facilite pas la vie.

Si votre enfant présente plusieurs difficultés mentionnées ci-dessus, je vous conseille vivement de vous investir dans l'apprentissage naturel de la lecture tel qu'il est proposé dans ce livre en vous débrouillant pour que l'enfant s'amuse ou s'intéresse. Le plaisir est indispensable, sinon il n'apprendra rien et vous risquez en plus de lui enlever l'envie d'apprendre à lire. Si c'est difficile, fractionnez au maximum les tâches et réjouissez-vous du moindre progrès. L'enfant mûrira et progressera en utilisant ses voies cérébrales, certainement pas en attendant sans rien faire. Ne rien faire avec l'enfant qui présente des difficultés, c'est aller vers l'échec au CP !

Si des enfants handicapés (sourds, trisomiques, autistes...) de moins de 6 ans font des progrès significatifs grâce à l'apprentissage du langage écrit (voir p. 164), on peut penser que cet apprentissage aidera l'enfant ayant de petits problèmes à surmonter. Il est beaucoup plus important de commencer à apprendre à lire le plus tôt possible pour un enfant qui a un retard de langage que pour celui qui n'a aucun problème. Un enfant qui présente un retard de langage peut avantageusement redoubler la grande section de maternelle s'il apprend à lire à la maison, dans la joie et à son rythme, en prenant le temps de la rééducation orthophonique et d'apprentissage de la lecture sur le temps scolaire (l'après-midi, par exemple), car il ne s'agit pas de surcharger l'horaire de l'enfant. Il faut tout faire pour lui permettre de réussir le CP ! L'échec ne peut pas le motiver.

Si lors de la lecture de ce livre votre enfant est déjà en difficulté en CP, consultez un médecin ORL et un ophtalmologiste afin d'avoir la certitude que les difficultés ne proviennent pas d'un déficit sensoriel. Si le bilan orthophonique s'avérait normal, alors que les difficultés sont réelles, faites refaire un nouvel examen, demandez un autre avis.

Voici les coordonnées de la plus ancienne association de parents d'enfants dyslexiques : Apeda-France – www.apeda-france.com/ – 12 rue Baragué, 78390 Bois d'Arcy – tél. : 06 61 00 61 66

D'autres sites Internet pouvant être utiles :
www.apedys.org/ - www.coridys.asso.fr/

4. Réponses aux questions et aux remarques des parents

Que puis-je faire avec mon enfant pour le préparer à bien lire ?

Lui faire la lecture et beaucoup dialoguer (voir « Préalables », p. 41). Bavarder le plus souvent possible avec lui – sans le déranger lorsqu'il est absorbé – pour l'aider à faire les relations entre les choses qu'il découvre, chercher avec lui le comment et le pourquoi : vous développerez ainsi son aptitude à penser.

Quand faut-il commencer ?

Il n'y a pas d'âge idéal, mais de préférence entre 2 ans et demi et 4 ans. J'ai vu aussi des enfants commencer à 5 ans et très bien lire à 6.

Certains commencent très jeunes, avec les premiers mots qu'ils peuvent dire. Si c'est un plaisir pour l'enfant et pour vous, cela ne peut lui faire que du bien : vous exercez sa mémoire visuelle. Il faudra laisser passer de temps en temps des périodes pendant lesquelles vous cacherez les mots ; l'enfant y reviendra avec un plaisir renouvelé. J'émets cependant une réserve : l'expérience me révèle que les parents se fatiguent plus vite que les enfants. Mieux vaut commencer, par exemple, un peu avant 4 ans et poursuivre que de commencer à 2 ans, arrêter et oublier de s'y remettre.

Combien de temps cela prend-il ?

Pas plus de trois à quatre minutes au début, un peu plus ensuite, mais tout devient facile lorsque l'adulte et l'enfant sont entrés dans le dialogue au sujet de l'écrit ; il faut simplement penser à l'alimenter. Le plus important est d'avoir la disponibilité d'esprit pour répondre aux remarques et demandes de l'enfant. Les parents pour lesquels c'est devenu tout naturel disent que cela ne prend pas plus de temps que de répondre aux multiples autres questions de l'enfant curieux.

L'enfant ne risque-t-il pas de s'ennuyer au CP s'il sait déjà lire ?

Chaque année, l'enseignant de CP reçoit dans sa classe un ou deux enfants qui savent lire ou presque. Et de toute façon, à Noël, il se retrouve avec trois niveaux différents.

Il adapte les travaux aux capacités des enfants et est généralement très heureux que certains entraînent les autres. Cela lui laisse du temps pour s'occuper davantage de ceux qui en ont plus besoin.

La réforme autorisant chaque enfant à progresser selon son rythme (en deux, trois ou quatre ans par cycle) devrait permettre à l'enfant « en avance en lecture » de se sentir comme un poisson dans l'eau.

Voici comment cela s'est passé pour François qui lisait très bien, mais ne savait pas écrire en cursive*. La maîtresse utilisait une méthode assez vivante, demandant aux enfants, par exemple, des mots contenant une certaine lettre ou un certain son. François participait comme tout le monde, à la différence près qu'il pouvait lire tous les mots qu'elle écrivait au tableau, alors que la plupart des enfants mémorisaient uniquement celui qu'ils avaient donné. Plus tard, aux moments où les enfants commençaient à lire de petits textes, il lui était toujours permis de lire un livre de la bibliothèque. Captivé par sa lecture, il ne gênait personne. La maîtresse lui demandait souvent de lire une histoire pour la classe, ce qu'elle a continué à faire lorsqu'il était en CE1. Et d'être très à l'aise en lecture lui a permis d'approfondir l'orthographe.

Chaque année, à partir de fin octobre, je reçois des appels téléphoniques de mamans dont les enfants sont au CP m'exprimant leur satisfaction de voir leur enfant bien dans sa peau, réussissant pratiquement tout ce qui lui est demandé, mais aussi leur étonnement de constater la quantité de choses demandées aux enfants de 6 ans. Il n'y a pas seulement la lecture, mais le calcul, l'écriture, l'orthographe, un nouveau rythme...

Je pense que l'inconvénient de s'ennuyer un peu au CP ne peut faire le poids avec le risque que vous prenez si vous ne faites rien. En effet, je rencontre dans chaque stage des parents dont les enfants sont en difficulté au CP alors que rien, absolument rien, ne pouvait le laisser prévoir en grande section de maternelle.

Le bénéfice que l'enfant tire :
– d'apprendre à lire en s'amusant ;
– de prendre tout son temps pour apprendre ;
– du plaisir de parvenir plus tôt à une lecture fluide et de lire facilement tout ce qu'il veut ;
– d'avoir des facilités en orthographe,

est sans commune mesure avec l'ennui momentané qu'il pourrait rencontrer en CP. On n'apprend pas à lire pour l'école, on apprend à lire pour soi-même.

S'il sait déjà lire, ne risque-t-il pas de se désintéresser de l'école ?

Même si l'enfant commence à se débrouiller en lecture, il a encore toute la fluidité à acquérir : on n'a jamais fini d'apprendre à lire ! Il aura le temps d'apprendre l'orthographe... et il aura plus de facilité à s'intéresser aux « matières d'éveil » et à les approfondir par une lecture sur le sujet.

L'enfant qui lit bien profite beaucoup plus de l'école que celui qui a de la peine à maintenir la tête hors de l'eau. Il comprend mieux les mathématiques, la grammaire et les conjugaisons. Rappelons-nous que pratiquement tous les enfants aiment faire plaisir à la maîtresse et ont surtout besoin de réussir. Une dernière fois : c'est la réussite qui entraîne la motivation, et non l'inverse !

Je préfère un enfant curieux de tout possédant bien l'outil (la lecture) qui lui permet d'accéder à la culture à un enfant appliqué à l'école, mais qui doit passer beaucoup de temps à faire ses devoirs et n'a ni le temps ni la possibilité d'apprendre par lui-même.

S'il sait lire, ne se sent-il pas supérieur aux autres ?

L'enfant qui a appris à lire de manière naturelle et détendue qui est la nôtre n'a aucun sentiment de supériorité. Il ne lui vient pas à l'esprit que cela puisse sortir de l'ordinaire. Il se demande pourquoi tous les enfants ne savent pas lire et a envie de partager ce qu'il sait. L'écrit fait partie de sa vie depuis longtemps ; il trouve cela tout naturel. Il en aurait été autrement s'il avait appris à déchiffrer de manière intensive deux mois avant l'entrée à l'école avec une méthode syllabique.

Si le CP est trop facile pour lui, ne deviendra-t-il pas paresseux ?

De mes deux garçons, qui savaient lire en entrant à l'école, l'un aimait apprendre mais négligeait volontiers ses devoirs, l'autre aimait apprendre et faisait ce qu'il fallait pour avoir de bonnes notes. Je pense que c'est surtout une question de caractère.

L'essentiel est de permettre à l'enfant de satisfaire sa curiosité pour le monde qui l'entoure. S'il ne lit pas avec beaucoup de facilité, cela lui sera difficile : il sera de moins en moins curieux et ses centres d'intérêt risquent de s'évanouir.

L'enfant peut-il être gêné par une méthode différente à l'école ?

Jusqu'à présent, il n'existait pas de coordination entre l'école maternelle et l'école élémentaire d'un même établissement et les parents ne s'en inquiétaient pas. L'apprentissage naturel de la lecture tel que nous le pratiquons permet à l'enfant d'être à l'aise au CP quelle que soit la méthode utilisée. Ce que nous proposons ne peut pas contrarier l'action de l'école maternelle, ni ensuite celle de l'école élémentaire.

Si l'institutrice de CP utilise par exemple la méthode gestuelle, cela amusera sans doute l'enfant sans qu'il subisse les inconvénients de cette méthode. Ce qu'il a appris de manière naturelle ne peut jamais le desservir.

En règle générale, si l'enseignant utilise une méthode très synthétique (*b a-ba*), je conseille d'aider l'enfant à lire le plus tôt possible des petits livres qui l'intéressent. Si au contraire il utilise une méthode très globale, je conseille de veiller parallèlement à ce que toutes les correspondances lettres-sons soient vues ou revues (voir annexe 2). Cela ne peut que favoriser la mise en place d'une bonne orthographe.

Ne favoriserait-on pas la dyslexie en commençant l'apprentissage de la lecture avant que l'enfant ne soit latéralisé* ?

Avec un enfant non latéralisé, je ne commencerais certainement pas à lui enseigner l'association consonne-voyelle, comme dans une méthode syllabique où *ra* est enseigné en même temps que *ar*, par exemple. C'est difficile, même pour un enfant latéralisé. Mais lui proposer l'apprentissage de la lecture comme nous le préconisons lui sera au contraire très profitable et ne peut, en aucun cas, provoquer une dyslexie.

Thomas, 6 ans et demi, gaucher, qui a commencé à apprendre à lire à 4 ans, est actuellement premier de la classe en CP. Il lit très bien, mais ne distingue absolument pas sa gauche de sa droite. Il est incapable par exemple de prendre « l'objet qui est dans le tiroir de gauche du buffet ». C'est la preuve qu'il n'est pas indispensable de distinguer la gauche de la droite pour apprendre à lire.

Votre méthode a-t-elle une influence sur l'orthographe ?

Toutes les études de cas d'apprentissage précoce de la lecture que j'ai pu lire rapportent la même chose : les enfants acquièrent l'orthographe avec beaucoup de facilité. Les deux de mes enfants dont je me suis le plus occupée avant le CP ont une excellente orthographe naturelle (voir p. 32 et, sur l'orthographe, p. 178). De nombreux témoignages continuent d'affluer dans ce sens à propos d'enfants aujourd'hui adultes.

En combien de temps l'enfant apprend-il à lire de cette manière ?

C'est extrêmement variable : certains enfants mettent six mois, d'autres trois ans parce qu'on ne s'en occupe que par intermittence ou qu'ils ont besoin de plus de temps. Certains lisent n'importe quel petit livre qui les intéresse à 4 ans (et même à 3 ans), d'autres à 5 ans. Tous sont complètement familiarisés avec l'écrit et font un excellent CP. L'essentiel ne réside pas dans le temps, mais dans la manière dont le tout jeune enfant est baigné dans l'écrit : développer sa mémoire visuelle et répondre à sa créativité dans la joie partagée pour qu'apprendre à lire soit synonyme de plaisir.

Mon enfant a un retard de langage. Puis-je utiliser cette démarche ?

Ce sera encore plus profitable pour lui que pour un enfant qui n'a pas de problèmes. Je peux affirmer que tous les enfants ayant un problème de langage font des progrès sensibles en voyant les mots écrits (voir p. 68 et 168). Le plus dangereux serait d'attendre.

Mon enfant est handicapé. Puis-je utiliser cette démarche ?

Elle lui sera de toute manière profitable. (Voir p. 164.)

Mon enfant est dans une école Montessori. Est-ce compatible ?

C'est tout à fait complémentaire. J'ai rencontré beaucoup de montessoriens dans les stages.

Erwann, qui a appris à lire avec sa mère selon mes conseils, est entré à l'école Montessori de Rennes, dans la classe qui correspond au CP, avec des enfants qui avaient déjà appris à déchiffrer. Bien que la méthode Montessori soit très structurée, il se trouve parfaitement à l'aise dans la classe. La maîtresse dit qu'il a une lecture très fluide pour son âge et qu'elle constate que la compréhension est parfaite. Le soir, on lui lit une histoire et il en relit une, seul, dans son lit. Il lit spontanément environ une demi-heure et aurait beaucoup de mal à s'en passer.

Deux de mes petites-filles ont été inscrites pendant une année dans une école Montessori (maternelle qui a dû fermer faute de moyens). L'éducatrice, étonnée des « capacités » de mes petites-filles, m'avait demandé de la rencontrer et a modifié, tout en gardant l'esprit montessorien qui est aussi le mien, sa pratique pour l'acquisition de la lecture.

Nous parlons deux langues à la maison. Laquelle faut-il utiliser pour apprendre à lire ?

L'enfant devrait apprendre à lire dans sa langue maternelle, celle qu'il connaît le mieux. Le transfert dans une autre langue alphabétique, celle de l'école, se fait facilement en CP. Si la langue maternelle n'est pas alphabétique, il est préférable que l'enfant apprenne à lire dans la langue de l'école.

Des petits Français ayant appris à lire dans leur langue maternelle avant le CP sont scolarisés normalement aux États-Unis où ils apprennent à lire l'anglais. (Lire *L'Enfant bilingue*, d'Élisabeth Deshays, Laffont, et *Enfants bilingues*, de George Saunders, Retz.)

Puis-je en parler à l'institutrice de mon enfant en maternelle ?

Attendez qu'elle vous dise que votre enfant reconnaît bien les mots ou est le seul de la classe à faire ceci ou cela ; profitez de l'occasion pour lui glisser que l'écrit l'intéresse beaucoup, qu'il vous pose beaucoup de questions. Si elle est très ouverte, prêtez-lui éventuellement ce livre...

Mais si l'enseignant vous fait comprendre, par exemple, qu'il ne faut pas « pousser » un enfant, il sera préférable ne pas en dire davantage. On sent parfaitement si l'enseignant a une attitude ouverte et positive ou non. N'en parlez jamais en premier. Laissez venir... L'enfant a besoin d'être aimé par sa maîtresse et d'être traité comme ses camarades. Il est malheureusement arrivé que, le parent ayant abordé le sujet en premier, l'enseignant « découvre » tout à coup des « défauts » à l'enfant dont il n'avait jamais été question auparavant.

Un inspecteur de l'Éducation nationale conseille aux parents de commencer à donner des mots écrits dès 2 ans[31]. Parmi les personnes inscrites aux stages que j'anime, nombreux sont les professionnels : instituteurs (pour leurs propres enfants), psychologues, orthophonistes, éducateurs spécialisés...

---

31. Christian Guillaume, *J'aide mon enfant à apprendre à lire*, Retz, 1988.

Je travaille depuis plusieurs années à l'adaptation de ce qui est proposé dans ce livre à l'école maternelle. Un ouvrage destiné particulièrement aux enseignants paraîtra aux éditions Nathan, dans la collection « Fichiers-Ressources », au printemps 2009.

Comment nomme-t-on les lettres ?

Pour les enfants qui les connaissent déjà, on nomme les lettres comme dans l'alphabet. Pour ceux qui ne les connaissent pas encore, il est plus facile pour les enfants de leur en faire découvrir le bruit (consonnes) ou le chant (voyelles). (Voir p. 79.)

N'est-ce pas plus facile de commencer par ce qui est simple : $b + a = ba$?

Il ne faut pas confondre simplicité et facilité. Ce qui vous paraît simple est difficile pour l'enfant. (Voir p. 137 et « Les fondements théoriques », p. 22.)

La méthode globale a donné de mauvais résultats et vous commencez par des mots plutôt que des lettres.

Ce que je propose n'a rien à voir avec une méthode globale ou semi-globale telle qu'elle est pratiquée au CP. Ce livre est destiné à préparer chaque enfant à réussir son CP, quelle que soit la méthode qui y sera utilisée, s'il n'est pas déjà lecteur autonome. Mémoriser des mots écrits qui l'intéressent, adaptés à ses capacités perceptives, est facile pour le tout jeune enfant. Ses mots personnels lui permettront de découvrir le son des lettres parce que sa manière naturelle de raisonner est respectée. En effet, ce n'est que lorsqu'il aura compris que les lettres produisent des sons parce qu'il en aura fait l'expérience avec *maman, mamie, miel...* pour la lettre *m*, par exemple – et non parce qu'il l'a appris par cœur –, qu'il sera peu à peu à même de comprendre que $m + a = ma$. Commencer par associer des lettres est beaucoup trop abstrait et difficile à l'âge de la maternelle. Proposer l'écrit de la manière décrite dans ce livre permet à certains enfants de lire tout ce qui leur plaît à 3 ans. Ce n'est évidemment pas le but recherché, mais c'est un fait, et la preuve que c'est peut-être une bonne voie.

Plusieurs personnes peuvent-elles aider l'enfant dans cet apprentissage ?

Certainement, pourvu que ce soit toujours fait dans une ambiance joyeuse et positive. Des enfants plus âgés s'occupent merveilleusement bien d'un plus jeune, s'ils vous ont observé auparavant. Le jeune enfant ne sera généralement pas dérouté par une éventuelle réaction négative de leur part, qu'il n'accepterait pas de la vôtre.

J'ai plusieurs enfants de moins de 6 ans. Comment faire ?

Si vous avez un enfant de 4-5 ans et un autre de 2 ans et demi, commencez par vous occuper de l'aîné. Le petit tournera autour et apprendra quantité de choses ! S'il vous demande un mot, donnez-lui tout de suite son prénom (ne fût-ce que pour avoir la possibilité de vous occuper de l'aîné) et d'autres mots s'il les demande.

Lorsque l'aîné est en CP, n'essayez pas de revivre avec un deuxième enfant la même chose qu'avec le premier. Il est différent ! Le frère de Damien avait remarqué très tôt la similitude entre *poireau* et *poire*. Il était ravi et sa maman aussi. Quelques mois plus tard, celle-ci donne *poireau* à Damien... pour voir... (puisqu'il avait aussi *poire*). Elle est déçue parce que l'enfant ne réagit pas et ne retient pas le mot. En questionnant la mère, je m'aperçois que Damien déteste le poireau. Rien d'étonnant à ce que l'enfant ne trouve rien d'intéressant dans un mot qui évoque pour lui quelque chose de désagréable !

Si vous avez deux enfants qui se suivent de près, essayez de vous occuper des deux en même temps. Dans certaines familles, s'occuper de plusieurs enfants à la fois est enrichissant pour tout le monde. Dans d'autres, ce n'est pas possible. Faites comme vous pouvez. En général, on peut faire certaines activités tous ensemble et pas d'autres.

Avec trois enfants : commencez à jouer avec le premier qui accroche ou le premier qui vous demande un mot. L'autre vient voir ce qui se passe et vous demande quelque chose que vous lui donnez tout de suite (exemples : « Où est *vélo* ? », « Qu'est-ce que tu as écrit là ? », « Écris *Fabien* »). Vous vous occupez de lui pour le satisfaire et vous revenez au premier en poursuivant ou lui proposant autre chose. Pendant ce temps, le troisième, 2 ans et demi, qui est sur vos genoux, vous dit : « Je veux *Billy* » (le nom du chien) ; donnez-le lui tout de suite. Le mot demandé est facile à retrouver s'il est classé dans l'ordre alphabétique.

S'ils se disputent, arrêtez tout, tout de suite. La prochaine fois, ils seront plus calmes. S'ils s'aperçoivent que, dès qu'ils chahutent, vous arrêtez, que vous ne vous occupez plus d'eux, vous constaterez qu'ils changeront peu à peu d'attitude. Si vous n'arrêtez pas, ils vont penser qu'à ce jeu-là tout est permis et vous serez débordé.

Certains jours, où ils sont plus calmes, vous pouvez proposer de jouer avec chacun à son tour pendant que les autres regardent. Et ça marche !

Nous avons arrêté de donner des mots pendant quelques semaines. Comment reprendre ?

Profitez d'une occasion. Le plus souvent, c'est l'enfant qui vous dira : « Il y a longtemps que tu ne m'a plus donné de mots ! » ou, par exemple : « Tu m'écris *fourmi* ? » Faites-le sur le premier bout de papier que vous trouvez. Ne réintroduisez les anciens mots que peu à peu dans des phrases écrites sur papier. S'il les a oubliés, il suffira sans doute d'un seul rappel pour qu'il s'en souvienne. Éliminez les mots qui ne l'intéressent plus.

S'il ne vous demande rien, profitez d'un petit événement pour lui donner un mot nouveau ou une phrase y ayant trait.

Une maman : « Après un arrêt, c'est revenu tout seul ; l'acquis est réapparu avec plus de force encore. »

Ça marchait très bien. Tout à coup il n'a plus voulu d'étiquettes. Que faire ?

Vous avez sans doute :
– traîné trop longtemps sur la phase « étiquette isolée » ;
– ou joué trop souvent au même jeu ;
– ou gardé trop longtemps le même rituel ;
– ou demandé d'identifier trop souvent les mêmes mots de peur qu'il les oublie !
Il est possible aussi que vous n'ayez pas perçu ses remarques.

Il faut cacher les étiquettes pendant une quinzaine de jours au moins et varier les plaisirs : par exemple, jouer avec des lettres en y associant chaque fois des mots dont c'est l'initiale, couper des mots simples en syllabes, écrire petit sur n'importe quel support, rassembler les mots commençant par la même lettre comme indiqué p. 81 et relire des parties de ce livre : vous y trouverez des éléments qui vous ont échappé lors de lectures précédentes. Les parents me l'ont dit si souvent ! Il faut savoir enfin que certains enfants n'ont pas besoin d'étiquettes très longtemps : soyez à l'écoute de ce qui les intéressent !

Il veut toujours écrire, pas lire.

Permettez-lui d'écrire autant qu'il le souhaite. Chez certains enfants, l'écriture aide à l'apprentissage de la lecture. D'autres ne souhaitent pas écrire beaucoup, parce que l'écriture les ralentit dans leur progression. N'oubliez pas de nommer les mots que l'enfant veut écrire.

Il veut « faire ses devoirs » comme les aînés.

Accédez à sa demande en lui proposant, par exemple, d'écrire son prénom, ou proposez-lui de petits exercices. (Voir p. 159) et « L'intrus » p. 109.)

Il n'arrête pas de me poser des questions sur l'écrit. Il ne pense qu'à ça !

Certains enfants questionnent beaucoup. Ils se rendent compte qu'il y a un « système » à comprendre et ne vous laisseront tranquille que lorsqu'ils l'auront découvert. Donnez-leur toutes les informations qu'ils peuvent recevoir. Ne soyez pas déçu si cela s'arrête tout à coup : ils sont sur le point de lire tout seuls. Ils ont besoin de souffler ! Et continuez surtout à leur faire la lecture. L'envie de lire eux-mêmes reviendra spontanément.

Mon enfant ne veut plus aller à l'école : il veut « apprendre avec maman ».

C'est peut-être le signe qu'il s'y ennuie. Parlez-en calmement à l'institutrice : elle trouvera certainement le moyen d'intéresser votre enfant. C'est arrivé une année pour François. J'ai trouvé la solution au problème en laissant les activités « peinture » et « pâte à modeler » pour l'école afin que celle-ci l'attire davantage.

À une réunion de classe, l'institutrice a dit de ne rien faire pour ne pas embrouiller l'enfant.

Elle est de bonne foi, mais ignore qu'un enfant peut commencer à apprendre à lire sans « méthode », en s'amusant. Si elle vous parle de votre enfant, dites-lui qu'il vous demande d'écrire des mots et qu'il vous pose beaucoup de questions. De nombreux enseignants s'inscrivent au stage que j'anime pour leurs propres enfants ou pour leur classe. De plus en plus d'écoles adaptent les idées de ce livre à leur classe. Une association Le bonheur de lire à l'école maternelle (voir encadré p. 212) a été créée pour assurer la diffusion des pratiques que j'aide personnellement à mettre en place.

Après avoir participé au stage, les deux instituteurs d'une toute petite école rurale du Morbihan ont proposé à chaque enfant de maternelle des mots qui les intéressent. Ensuite, ils ont convoqué les parents, leur ont enseigné comment les écrire et ont insisté sur l'attitude joyeuse et positive à avoir avec l'enfant. C'est une vraie réussite et un nouveau lien entre l'école et les parents. Le plus jeune enfant de l'école (2 ans et demi) a une vue très diminuée ; il était entendu qu'il ne pourrait pas apprendre à lire normalement en CP. Grâce aux grosses lettres, ce petit bonhomme reconnaît tous les mots et en redemande.

Les gens ne comprennent pas : ils pensent que je veux « pousser » mon enfant.

Les gens ne comprennent pas parce qu'ils ne savent pas de quoi il s'agit. Nous n'enseignons pas la lecture ; nous adaptons le langage écrit à l'enfant afin qu'il puisse découvrir par lui-même les concepts de base de la lecture. Il est beaucoup plus naturel d'apprendre à lire peu à peu, quand on en a envie, que d'être obligé d'apprendre à lire au CP où l'instituteur n'a d'autre issue que de « boucler » le programme.

Ne vous laissez pas influencer par votre entourage : seuls comptent le plaisir et la joie partagés avec votre enfant.

Certains disent : « Ils ont mieux à faire que d'apprendre à lire. »

Commencer à apprendre à lire comme nous le proposons n'empêche jamais d'autres apprentissages comme le langage (au contraire !) ou la motricité. De plus, cette activité favorise beaucoup la créativité de l'enfant.

« Pourquoi se fatiguer : au CP, ils savent lire à Noël. »

Il arrive que des enfants déchiffrent à Noël. La plupart des enfants ânonnent et souvent ne comprennent pas ce qu'ils lisent. Déchiffrer n'est pas lire. Certains enfants sont exceptionnels ; les miens ne l'étaient pas.

« Il faut laisser cela aux spécialistes. »

Au contraire, il faut que tout le monde soit concerné, mais il n'est pas question de faire l'école à la maison ; il ne peut s'agir que de plaisir, de dialogue et de complémentarité.

Il y a cinquante ans, il était tout à fait courant qu'un enfant apprenne à lire à la maison. Aujourd'hui, les parents n'osent rien faire parce qu'on les a persuadés, à tort, qu'il faut laisser cela aux spécialistes : instituteurs et orthophonistes. Or il ne me semble pas normal qu'actuellement tant d'enfants aient besoin du secours de l'orthophoniste pour apprendre à lire.

Je souhaite que davantage de parents prennent conscience du rôle essentiel et passionnant qu'ils ont dans l'éducation de leurs enfants. L'école ne peut pas tout faire ! Que parents et enseignants se complètent : il ne s'agit pas de concurrencer l'école, mais, ainsi que l'exprime le phoniatre François Le Huche, de « procéder d'une manière toute différente de façon à rendre les deux approches non pas concurrentes mais complémentaires ». Tout parent a le droit fondamental de faire en matière d'éducation ce qui lui semble le meilleur pour son enfant. Des milliers d'enfants commencent à apprendre à lire dès 3 ans en s'amusant : il faut que cela se sache et que les éducateurs, instituteurs, parents puissent en faire profiter les enfants démunis affectivement et culturellement.

Pour avoir moi-même donné des « mots écrits » dans la rue à des enfants du quart-monde qui les reçoivent souvent avec plus d'avidité et de reconnaissance que les autres, je sais qu'il y a du pain sur la planche pour les bénévoles qui animent les bibliothèques de rue en apportant aux enfants défavorisés un peu de beauté, d'imaginaire et de rêve.

Je crois avoir prouvé dans ce livre qu'il n'est pas nécessaire d'être enseignant pour aider un enfant à apprendre à lire ; ces enfants apprennent comme les autres si on leur donne ce dont ils ont besoin sans rien leur demander.

« Un enfant n'est mûr pour apprendre à lire qu'entre 5 et 8 ans. »

Cela est sans doute vrai si on lui enseigne le mécanisme du déchiffrement*, comme c'est le cas des méthodes synthétiques (*b, a-ba*). Or ce n'est pas de cela qu'il s'agit ici. Nous n'enseignons pas, nous amenons l'enfant à découvrir le système par induction*, processus qu'il utilise depuis qu'il est né.

« Gesell[32], en 1928, affirmait qu'il ne faut pas enseigner quelque chose à un enfant avant qu'il ne soit suffisamment mûr pour profiter de cet enseignement. Jerome Bruner nuance cette proposition (1966) en ajoutant que cette maturité peut être [...] provoquée si on prévoit les occasions de la favoriser. La maturité, dans le sens adopté par Bruner, consiste en la maîtrise des compétences plus simples qui permettront des compétences plus complexes.

« Selon lui, le développement intellectuel n'est pas réglé comme une horloge mais influencé par le milieu social [...]. Cela veut donc dire aussi qu'une expérience ou une situation d'apprentissage appropriée permettrait à l'enfant d'être mûr avant l'âge habituel. Si l'enfant est prêt à recevoir une idée donnée et si on arrive à la lui présenter de façon à ce qu'il puisse comprendre, ce n'est pas l'âge en soi qui sera un frein. Le contraire peut être tout aussi vrai : un enfant ayant dépassé l'âge requis peut ne pas être prêt à recevoir ou à comprendre une idée donnée. Il ne suffit pas d'attendre l'âge[33]. »

Il n'existe d'ailleurs aucune étude scientifique prouvant que l'âge idéal pour apprendre à lire soit 6 ans.

« Les enfants qui ont appris à lire avant 6 ans se retrouvent de toute façon au même niveau que les autres en sixième. »

Cela peut être vrai pour des enfants qui ont appris de manière systématique, dirigiste (avec une méthode), trois ou six mois avant l'entrée au CP. Ils ont simplement appris à faire du *b a-ba* avec un peu d'avance. Rien à voir avec le plaisir de lire.

Certains enfants qui ne possèdent ni capital-mots ni conscience phonologique* ont, plus tôt que les autres, un esprit logique et entrent avec une année d'avance au CP, avec l'accord de l'instituteur. On les retrouve quelquefois essoufflés en seconde : ils manquent de maturité, ils ne lisent pas beaucoup.

La maturité en seconde dépend du nombre d'expériences que l'enfant a vécues, du fait qu'il ait ou non l'occasion de communiquer avec des adultes et qu'il ait beaucoup lu (romans, actualités, documentaires). François a passé le bac C en tête de classe en 1991. Il avait

---

32. Psychologue renommé, a analysé en détail le développement de l'enfant.
33. Britt-Mari Barth, *L'Apprentissage de l'abstraction, op. cit.*

16 ans (ayant sauté le CM1), donc une bonne année de moins que les élèves de sa classe. Aucun de ses professeurs n'a jamais pensé qu'il manquait de maturité. Au contraire, il se trouvait parfaitement à l'aise dans sa classe ; depuis trois ans, il était élu délégué de classe alors qu'il ne se présentait jamais et le restait toute l'année. Il animait un club d'informatique, faisait de la musique, du sport, occasionnellement du théâtre.

Il est certain qu'un enfant plus jeune que la moyenne qui s'en tient aux lectures obligatoires demandées par les professeurs, même s'il se classe dans la première moitié de la classe, manque sans doute de maturité. Un matheux qui ne lit pas peut aussi être immature.

« J'en ai parlé à mon pédiatre : il n'est pas d'accord. »

Comme la majorité des parents, beaucoup de pédiatres pensent qu'on ne peut apprendre à lire que de manière scolaire et selon une méthode. Ils ne peuvent imaginer que l'enfant puisse commencer à apprendre à lire de manière très naturelle et pour son plaisir. J'ai reçu des lettres d'encouragement de pédiatres et d'autres se sont inscrits au stage pour leurs propres enfants.

Un constat : tous les pédiatres reçoivent en consultation des enfants n'ayant pas profité de cette approche qui sont en difficulté en CP pour des problèmes tels qu'insomnie, angoisse, recrudescence d'énurésie ou de manifestations allergiques, agressivité...

Que pensez-vous du passage anticipé au CP ?

L'enfant passe au CP l'année de ses 6 ans. Si votre enfant est né le 28 décembre, il passera automatiquement au CP à 5 ans et demi. S'il est né le 3 janvier, il n'y entrera qu'à 6 ans et demi, sauf si vous demandez le passage anticipé par dérogation. Chaque enfant est unique et chaque cas est à analyser séparément.

Quelquefois, l'institutrice vous suggère de demander une dérogation. Dans ce cas, et sous réserve que d'éventuels tests psychologiques soient positifs, vous n'aurez pas de mal à l'obtenir. L'enfant pour lequel le passage anticipé est demandé devrait être vu par un psychologue. Jusqu'à présent, il passait des tests psychologiques, de quotient intellectuel, d'écriture cursive... mais aucun test de lecture ni de reconnaissance de mots ou de lettres, puisque l'enfant n'est pas supposé apprendre à lire en maternelle. Il y a là une lacune. Je n'oserais pas mettre en CP un enfant très jeune qui a de bons résultats aux tests sans qu'il possède un capital-mots et qu'il ait compris que les lettres représentent des sons.

En revanche, il m'est arrivé d'aider des parents à obtenir une dispense pour un enfant, né en février, qui savait pratiquement lire et dont le résultat aux tests psychologiques était bon. L'institutrice était par principe opposée à la dispense et ne s'était pas aperçue que l'enfant savait lire. Il est en tête de classe au CP !

Si un passage anticipé est envisagé, il est souhaitable, à mon avis, de passer au moins une partie de l'année précédente en GS.

Peut-on sauter le CP ?

Je n'ai jamais été partisan de faire sauter le CP : la différence de rythme entre la grande section de maternelle et le CE1 est trop grande. Je ne connais pas d'enfant ayant sauté le CP, mais j'en connais beaucoup qui ont fait un excellent CP tout en pratiquant d'autres activités : sport, musique, danse, autre langue... Mais une année de moins passée dans le cycle « apprentissages fondamentaux » est possible. Personnellement, je préférerais voir mon enfant commencer ce cycle de bonne heure et y passer trois années.

Si j'ai le choix, quelle méthode préférer en CP ?

Plus important que la méthode : l'instituteur ! Faute de pouvoir en CP adapter une méthode à chaque enfant, le mieux est de faire confiance à un enseignant aimant les enfants et passionné par son métier, qui donne à lire des textes et fait, parallèlement, l'analyse de toutes les correspondances graphèmes/phonèmes* à partir de ces textes. Cela correspond aux méthodes dites mixtes : les enfants, dans leur diversité, ont plus de chances d'y trouver ce qui leur convient.

Dois-je avertir l'instituteur de CP que mon enfant sait lire ou presque ?

Il est préférable de laisser l'instituteur découvrir votre enfant. S'il vous en parle, vous pourrez lui expliquer ce que vous avez fait et dans quel esprit. Tous les instituteurs, sans exception, qui ont dans leur classe des enfants ayant profité de l'apprentissage naturel de la lecture tel que décrit dans ce livre sont ravis de les avoir.

Mon enfant est au CP. Comment puis-je l'aider ?

Aidez-le, si besoin, à bien faire ce que l'instituteur demande. Mais si vous l'avez initié à la lecture, il vaut mieux le laisser se débrouiller et s'organiser tout seul ; cela lui fera le plus grand bien. Montrez-lui toujours de l'intérêt pour ce qu'il fait.

Lorsqu'il commence à se débrouiller en lecture, reportez-vous aux conseils (p. 149) et ne lui permettez surtout pas d'ânonner ! Donnez-lui à lire des petits livres faciles qui l'intéressent plutôt que son livre de lecture qu'il connaît par cœur. Si vous remarquez qu'il a du mal à déchiffrer certains mots, repérez le son qu'il ne connaît pas bien et faites ensemble une liste de mots qui le contiennent.

Quelles autres activités préconisez-vous avant 6 ans ?

Donnez à vos enfants ce qui *vous* paraît important de leur donner.

Personnellement, je leur donnerais à entendre de la musique classique, d'autres musiques aussi.

Je leur apprendrais très tôt à être à l'aise dans l'eau, à faire de grandes balades à la campagne, au cours desquelles ils ont l'occasion de découvrir tant de choses sur la nature. Il est très important de dialoguer avec le très jeune enfant, de le pousser à rechercher et comprendre le pourquoi des choses.

Je souhaiterais le contact régulier avec une personne anglophone.

Opposée aux jouets coûteux qui ne servent que très peu, je suis très Lego® : ce jeu de construction fait travailler leur imagination et leur intelligence jusqu'à l'adolescence.

J'ai toujours encouragé mes enfants et les ai aidés à « faire des expériences » avec l'eau, la chaleur, la lumière, les graines. Je leur apprenais à dénombrer, à compter et leur racontais l'Histoire à l'aide de bandes dessinées, mais n'avais pas pensé à les emmener très jeunes au musée voir de la peinture. Je l'ai fait avec mes petits-enfants !

N'oublions cependant pas qu'un enfant a besoin de s'ennuyer. C'est un excellent moyen de lui permettre de développer son imagination, de faire ses propres expériences, de lui donner envie de créer. Les meilleurs souvenirs d'enfance ne sont-ils pas les cabanes fabriquées loin des yeux des parents et les dîners de baies et de spaghettis d'herbes préparés pour les poupées ?

CONCLUSION

Une vieille nurse suisse disait un jour : « Il ne faut pas dire aux parents : "Aimez vos enfants", mais : "Voyez comme ils sont passionnants." » Observer et essayer de comprendre l'enfant qui apprend nous permet de respecter son rythme, sa manière d'apprendre et, ainsi, de l'aider efficacement. Comprendre l'enfant qui apprend va vous donner des ailes, de l'assurance : vous pourrez inventer votre chemin, suivre votre intuition.

L'important dans cette relation avec le jeune enfant n'est pas qu'il sache lire avant les autres mais qu'il prenne confiance en lui face au langage écrit, qu'il joue avec les mots et les lettres pour son plaisir, qu'il sente que vous êtes vraiment et définitivement à son côté.

Indépendamment du fait de lui lire des livres et de la notion de plaisir inscrite dans tout ce que je propose, il est nécessaire d'avoir une vue d'ensemble sur le processus d'apprentissage. Elle vous permettra de ne pas vous perdre dans des méandres et de situer votre enfant dans sa progression. Le processus recouvre deux aspects principaux :
– la reconnaissance des mots : affectifs au départ, s'étendant ensuite à des mots et des phrases qui intéressent l'enfant ;
– la découverte des correspondances lettres (ou groupes de lettres)-sons qui débouche sur la compréhension de la fusion consonne-voyelle.

Reconnaissance de mots

La phase « mot-sur-étiquette » est largement explicitée dans ce livre : cela pour répondre à la demande des parents qui ont peur de mal faire. Cependant, les étiquettes n'ont rien de magique ! Elles ne sont qu'une amorce pour s'intéresser aux syllabes, aux lettres et aux sons. Il faut très tôt utiliser les mots dans de très courtes phrases et les écrire plus petit sur d'autres supports (papier, tableau...) pour accompagner un dessin, par exemple.

J'ai rencontré des enfants qui avaient mémorisé des dizaines, des centaines de mots globalement, sans dialoguer beaucoup avec l'adulte, sur l'analyse qu'ils faisaient sans doute sans l'exprimer. J'en connais aussi beaucoup qui ont eu peu de mots mémorisés globalement, mais qui se sont accrochés lorsqu'il s'agissait de lettres, de « maisons », de couper des mots en syllabes. À chacun son style !

Si vous constatez que le vôtre progresse, soit dans la mémorisation de mots, soit dans l'identification de correspondances lettres/sons, vous êtes sur la bonne voie. Profitez de ses jeunes années pour le laisser évoluer selon ses préférences et son tempérament, car l'école le mettra suffisamment tôt sur des rails ! Chaque enfant suivra un chemin différent de celui de son frère ou de sa sœur, ou du petit camarade de classe.

La plupart des parents n'ont pas le temps de fabriquer des petits livres : ceux-ci sont un « plus », mais pas indispensable. On peut parfaitement se contenter d'écrire de temps en temps avec l'enfant une phrase qui le concerne (exemples : *Demain on va chez Mamie*, ou : *Je suis triste : la piscine est fermée*) et de lui faire envoyer un courrier à un proche : *Merci bon-papa pour le joli cadeau. Gros bisous. Alice.*

Découverte des correspondances lettre(s)-son(s)

• En collectionnant des mots commençant par une certaine lettre, par exemple *m* comme *maman*. L'abécédaire classique et/ou un cahier-répertoire alphabétique sont utiles.
• En collectionnant dans des « maisons » des mots ayant une même caractéristique graphique et sonore (*ma, ette, on, eau...*).
• En jouant à construire des mots qu'on aime avec des lettres mobiles (nommer le son des lettres).
• En coupant (avec des ciseaux !) des mots simples et connus en unités vocales : *pa-pa, ma-man, ba-teau, ca-mion...*
Dès lors, comprendre que *b* + *a* = *ba* sera chose facile en CP ou avant.

Ces deux aspects – mémorisation de mots et analyse – se complètent, sauf au début, où la reconnaissance des mots est uniquement graphique, et sont interactifs : ils s'influencent l'un l'autre. Plus l'enfant connaît de mots, plus il lui est facile d'apprendre les correspondances lettres-sons qui lui permettent à leur tour de mémoriser plus de mots.

Je me répète sans doute : ce que je propose n'est pas une méthode linéaire, mais des possibilités d'aider le jeune enfant à développer les habiletés indispensables à l'appropriation du langage écrit.

Je termine sur cette anecdote qui, comme toutes celles que je vis depuis tant d'années, me confirme que je suis sur la bonne voie. Ma petite-fille Julie (4 ans et 3 mois) était venue me montrer son dessin. « Regarde, bonne-maman, j'ai fait des oiseaux qui volent autour du canard ; il faut l'écrire là. » Et, me tendant un feutre, elle précise : « Il faut mettre un *s* à "zoiseau" parce qu'il y en a beaucoup ! » Quelle joie de pouvoir la guider dans sa découverte ! « C'est vrai, il y en a beaucoup, et on met le plus souvent un *s* quand il y a beaucoup, mais pour les oiseaux, c'est spécial, on met un *x*... comme ça... Est-ce que tu as d'autres mots comme *oiseau* ? On met un *x* aussi à *gâteau*, *bateau*... » (J'écris.) Elle me regarde d'abord avec des yeux ronds, puis me dit avec un grand sourire : « J'aime le *x* » (elle prononce *isk*) et un peu plus tard : « Est-ce qu'on met un *x* aussi quand il y a beaucoup de cadeaux ? »

Voilà, nous avons fait un pas de plus ... dans la joie et la complicité. Quel bonheur de l'accompagner dans son cheminement !

Je vous souhaite beaucoup de petits bonheurs tout au long de votre parcours !

Un ultime conseil : relisez périodiquement des parties de ce livre ; vous y trouverez ce qui vous a échappé lors d'une lecture précédente.

Les anecdotes que vous vivez, les remarques de vos enfants, vos témoignages, le journal détaillé de leur progression seront reçus avec grand intérêt et sont très utiles pour éventuellement vous aider.

Les relations détaillées de progressions individuelles sont également recherchées pour analyse par des chercheurs. À cet effet, si vous étiez intéressé(e) par le suivi hebdomadaire (par e-mail) de votre enfant dans sa découverte de la lecture, merci de prendre contact à : courrier@lebonheurdelire.org.

le bonheur de lire (lbdl)

*Créé par l'auteur en 1986, il organise à Paris (et ailleurs sur demande) un **séminaire** d'une journée, dénommé « Apprentissage naturel de la lecture ».*

Il s'adresse principalement aux parents, mais aussi aux professionnels et permet de poser toutes les questions individuelles.
Renseignements sur le site : www.lebonheurdelire.org
Le bonheur de lire
Antières
85610 Cugand (France)
Tél. : 02 51 43 62 16

Matériels disponibles :
- Le DVD Le Bonheur de lire en maternelle *(32 min) a été réalisé à l'école et dans trois familles. Vous pouvez le recevoir contre un chèque de 10 € (port compris France métropolitaine) envoyé à l'adresse ci-dessus.*
- Le CD « loto-sons » comprenant les cartes à découper du jeu de loto est décrit p. 111. Coût : 15 € (port compris France métropolitaine).

Autres destinations : se renseigner par e-mail :
courrier@lebonheurdelire.org

Pour aider les enseignants à adapter les idées de ce livre à l'école :
Le livre « Entrée dans l'écrit en maternelle », collection Fichiers-ressources, Nathan 2009.
Association Le bonheur de lire à l'école maternelle
46 bis, chemin de Quincangrogne
77144 Montévrain
http://lbdlmaternelle.free.fr/

ANNEXES

ANNEXE 1 – ONGLETS ALPHABÉTIQUES

	A	a
	B	b
	C	c
	D	d
	E	e
	F	f
	G	g
	H	h
	I	i

	J	j			S	s
	K	k			T	t
	L	l			U	u
	M	m			V	v
	N	n			W	w
	O	o			X	x
	P	p			Y	y
	Q	q			Z	z
	R	r				

ANNEXE 2 – SUITE DE LETTRES CARACTÉRISTIQUES de la langue française qui peuvent faire l'objet de « maisons » selon les découvertes de l'enfant, et, dans la colonne de droite, des exemples de mots qui peuvent y entrer. Il faut les avoir vues **en CP.** (Cette liste n'est pas exhaustive.)

age	ménage fromage plage cage
ai	maison fait lait souhaite anniversaire
ail(le)	travail épouvantail / maman travaille
ain	pain main bain copain parrain
an	maman vacances danse mange dimanche orange restaurant
am	ambulance tambour chambre jambon framboise champignon
au	Laurence chaud gaufre dauphin jaune restaurant
ç	François balançoire garçon
ca-co-cu	carotte colère culotte cochon
ce-ci	cerise Alice glace sorcière Lucie
ch	chat chocolat cheval chambre chien
ch	chorale Chloé chœur orchestre
e	menu genou cheval chemin regarde (ne pas y mettre les e muets)
ê	fête bête pêche
é	bébé épée école poupée fée vélo télévison éléphant
ë	Noël paëlla Gaëtan
è	sorcière frère zèbre crème chèvre colère
eau	beau cadeau château chapeau gâteau bateau chameau manteau
ec	avec lecture sec bec
ei	peigne neige reine baleine
eil(le)	soleil réveil sommeil / oreille abeille groseille
ein	frein peinture ceinture plein
el	sel miel gel Bridel
elle	elle belle pelle coccinelle poubelle ficelle échelle

en	Benjamin moyen
en	dent vent vendredi content gentil ventre médicament enfant
em	embrasse tempête camembert
enne	antenne benne
er	danser manger chanter dîner danger boulanger baiser
er	perle mercredi mer fer ferme hiver
erre	Pierre terre verre
es	les mes tes ses / tu es
es	veste escargot restaurant
esse	kermesse maîtresse caresse
et	poulet filet jouet forêt duvet lacet hoquet paquet tabouret
ette	dînette galette crevette mouette noisette poussette salopette
eu	jeudi feu il pleut bleu deux cheveux curieux
eu	meuble beurre neuf pleure
euil(le)	écureuil fauteuil / feuille portefeuille
eur	docteur tracteur coiffeur facteur fleur couleur ascenseur
ez	chez nez / vous... ez (2ᵉ personne du pluriel)
gea-geo	flageolets nageoire bougeoir pigeon bourgeon
gi	girafe gigot fragile Gisèle
gie	bougie magie
gn	campagne montagne champignon peigne agneau baignoire
gu	guide guêpe guitare vague
h	hibou hôpital hélicoptère théâtre souhaite rhume histoire
ï	maïs Anaïs
ie	garderie mamie pâtisserie Nathalie Coralie
ien	Damien chien bien rien le mien le tien
ier	Olivier panier cahier policier jardinier janvier Pelletier
ille	bille famille vanille fille quille pastille
ille	ville mille Lille

in	jardin Tintin sapin lutin lapin cousin matin singe dessin
im	important timbre timbale grimpe
ing	parking planning bowling
is	Yannis Boris tennis
œu	œuf bœuf cœur sœur
œu	nœud œufs
oi	voiture Benoît poisson roi étoile poire noisette framboise
oin	rond-point coin loin
on	maison ballon Ninon salon poisson bonbon papillon avion
om	ombre pompe compote
ou	doudou Milou joue poule loup souris soupe cousin douche
ouille	citrouille fripouille grenouille
ph	Delphine téléphone pharmacie Sophie photo éléphant
qu	quoi pourquoi coquine étiquette coquillage
que	pique-nique casque musique cirque magique flaque
s	chemise fraise valise cousin cuisine framboise
sc	piscine scène
tion	récréation contravention punition
um	album aquarium auditorium
un	lundi un / Petit Ours brun
um	parfum
y	papy Thierry Nelly pyjama
y	Yannick yaourt crayon mayonnaise

Mots bizarres : foot, monsieur, week-end, paon, c'est, est, short, pied, puzzle, j'ai eu...

Remarque : pour faciliter l'accompagnement, vous pouvez établir la liste des maisons potentielles de votre enfant en « décortiquant » au fur et à mesure les mots que vous lui donnez. (Le mot *maison*, par exemple, pourra aller sur la ligne *ai, on* et *s*.) C'est une base de données bien pratique... mais pas indispensable !

ANNEXE 3 – DES COMPTINES POUR QUELQUES CORRESPONDANCES GRAPHÈME-PHONÈME

Auteur : Chloé (7 ans)

La reine Madeleine   *ei*
dans sa robe beige
s'en va dans la neige
chercher la baleine.

Un loup tout fou   *ou*
joue avec son toutou
saute comme un kangourou
en écoutant le coucou.

Gaston le grognon   *on*
ne veut pas son biberon
Il veut un bonbon
sur les genoux de tonton.

Souricette la cadette   *ette*
sort de sa cachette
pour faire une galipette
dans sa maisonnette.

Moi le grand roi   *oi*
j'entends une voix
qui me dit : « Toi,
donne-moi tes noix. »

Ce n'est qu'un jeu   *eu*
du feu tout bleu
qui part un peu
chaque fois qu'il pleut.

Je joue avec mon jouet   *et*
en mangeant du poulet
dans mon vieux bonnet
sur un tabouret.

J'ai une nouvelle pelle   *elle*
qui est très belle
et des bretelles
de polichinelle
tout en ficelle.

Je suis une fille   *ille*
et j'ai une bille
en forme de pastille
qui sent la vanille.

Martin le coquin   *in*
a vu ce matin
un petit lapin
sur le grand chemin.

Le cheval de Chantal   *al*
s'en va au bal
du grand carnaval
avec Pascal le chacal.

Un bateau sur l'eau   *eau*
ce n'est pas un château
mais c'est bien beau
un bateau sur l'eau
c'est un beau cadeau
si c'est du gâteau.

Un gentil nain   *ain*
va prendre son bain
en mangeant du pain
avec son copain.

J'ai fait du lait   *ai*
avec mon balai
dans le pot à craie
de ma marraine
qui est très vilaine.

Attention à ton opération   *tion*
sinon tu auras une punition
après la récréation.

Maman chat chuchote à son chaton :   *ch*
« Ne donne pas ton chocolat au chien. »
Chut ! Voilà la chouette du château
qui se cache dans les choux.

ANNEXE 4 – JOURNAL DE LA MAMAN D'ADÈLE

Adèle (3 ans et 4 mois) a reçu une nouvelle étagère. Une planche reste libre pour y mettre des « surprises » (étiquettes-mots).

Dans la colonne de gauche sont reproduits les mots donnés à l'enfant.

Dans la colonne de droite : les commentaires de la mère et en italique les phrases écrites pour l'enfant ; en caractères gras, les remarques spontanées de l'enfant concernant le code de l'écrit* ainsi que sa progression dans l'acquisition de celui-ci ; entre crochets, les remarques de l'auteur.

Adèle

samedi 17 octobre
Elle essaie de recopier son prénom.
(apparition de la première et de la dernière lettre).

Suzanne

dimanche 18 octobre
(Sa petite sœur, 6 mois.) Elle joue à montrer les deux mots alternativement à Suzanne en les nommant.
Elle recopie *Adèle*.

kangourou

lundi 19 octobre
Elle veut dire elle-même ce que c'est. Elle retourne les cartes, en tire une, la nomme.

Victor

mardi 20 octobre
Réflexion de l'enfant montrant le *v* :
« **C'est comme** *Adèle*. » Mêmes jeux.

papa

mercredi 21 octobre
Mêmes jeux. Puis on cache les cartes derrière le dos, elle nomme le mot qui apparaît.
Ensuite c'est elle qui montre les mots : Dominique (le papa) joue à se tromper.

jeudi 22 octobre
Rien.

maman

vendredi 23 octobre
Mêmes jeux.

Joëlle

samedi 24 octobre
Le matin avec son papa. Elle ne veut pas qu'on dise les mots à sa place : « C'est moi qui dis. »

bain	Elle veut continuer à jouer avec les mots au lieu de prendre son bain ; on ajoute le mot *bain*. Elle tire les cartes une à une et les nomme ; quand le mot *bain* apparaît, elle doit y aller.

dimanche 25 octobre
Des jeux. Pas de mots nouveaux.

lundi 26 octobre
Florie   Toujours les mêmes jeux. Elle ne fait aucune erreur. Dominique joue à mimer les mots. Adèle apprend à faire le kangourou.

mardi 27 octobre
Rien.

mercredi 28 octobre
moustique   Elle demande que j'écrive *moustique*. Elle demande s'« **il faut des petits ronds pour écrire** *moustique* ».

jeudi 29 octobre
Panda   Le mot nouveau est caché dans son tiroir.

vendredi 30 octobre
Dominique
Myriam   (matin) Elle le regarde et le range.
Je l'écris devant elle. Elle dit : « **Tu fais comme** *moustique*. »
Jeux. C'est elle qui demande les mots (en les lisant tour à tour) et je dois les lui donner.

samedi 31 octobre
chocolat
Marion   (matin) Elle le prend et le range. Je l'écris devant elle.
Elle dit : « **C'est comme Myriam et** *moustique*. » Jeux.

dimanche 1ᵉʳ novembre
Pas de mots nouveaux. Jeux : confusion (une fois)
Marion-moustique.

lundi 2 novembre
François   « **C'est comme** *Florie*. » Plus de confusion.
Elle joue avec les mots, réclame ceux que j'essaie de mettre de côté.

mardi 3 novembre
Angéline   Jeux.
J'écris *Angéline* : « Regarde, c'est comme *Adèle*. »
Elle prend ses mots sur son étagère et joue à « qui se cache en dessous de... »

mercredi 4 novembre
bébé   (matin) Jeux habituels. Toutes les étiquettes sur le sol, elle me demande de prendre tel ou tel mot (en les regardant).

	Elle m'indique même où ils se trouvent. Toutes les cartes à l'envers, elle les retourne et les lit.
petit	(midi) Elle réclame de jouer à nouveau. Elle s'amuse à dire *petit* avant chaque mot. Je lui dis : « Non, il n'est pas écrit *petit*. » Elle me répond : « Je sais, c'est pour jouer et toi tu vas me l'écrire. »

jeudi 5 novembre

Virgule « **C'est comme *Victor*.** » Jeux.
Elle reprend les cartes plusieurs fois par jour pour
les montrer à Panda.
[Lorsque l'enfant remarque une lettre, il faut la nommer
et la lui donner sur un petit carton séparé.]

vendredi 6 novembre

Léo (matin) Jeux. Après chaque jeu, il faut lire un livre ! (midi)
« Léo réclame son Popi ; il faut lui donner tout de suite. »
Popi Je m'exécute. « **C'est comme *Panda*.** » Jeux.

samedi 7 novembre

Anaïs « **C'est comme *Angéline* et t'as deux petits points.** »
Jeux. Elle montre toujours les mots à son panda.

dimanche 8 novembre

moi Je l'écris devant elle. « **Regarde, t'as écrit pareil
que *maman*. T'as pas écrit beaucoup !** »
Jeux. Elle montre les mots à sa petite sœur en
les nommant.

nez « **Il est petit, alors c'est le petit nez de Suzanne.** » Jeux.
câlin Elle apprend à lire à Panda.
On garde tous les mots pour l'instant.

lundi 9 novembre

bisou Au saut du lit, Panda doit lire les mots. Jeux.
Elle reconnaît *l* et *a* dans *numéro spécial*
(revue *La plume et l'Encre* qu'elle rapporte de l'école).
Elle les identifie à Léo et Adèle.

mardi 10 novembre

Marie-France « **Il est grand, ce mot. Il n'y a plus de place
sur le carton.** »

mercredi 11 novembre

Fille Jeux.
lapin Il faudrait peut-être supprimer quelques mots !

jeudi 12 novembre

pigeon Jeux. Aucune erreur.

garçon	« *g* comme dans *virgule*, *ç* comme dans *François*. »
Ali Baba	

vendredi 13 novembre

chat	Jeux. On ne joue plus qu'avec une dizaine de mots.
câlinou	On revoit les autres en vitesse.
	« Si je cache *ou* c'est comme *câlin*. »
	Elle reconnaît *Léo* et *Popi* dans ses livres.

samedi 14 novembre

éléphant	Elle montre le *t*. « **C'est comme dans *chocolat* et *chat*.** »
	Elle recherche dans quels mots elle a déjà vu les mêmes
singe	lettres, d'abord de tête, puis elle compare les mots.

souris	Elle pointe les deux *s*. « **Je ne vais pas me tromper.**
	Il y a *s* et *s*. »

âne	On joue à séparer les mots par catégories : les animaux,
	les gens...
	Elle trouve *petit* dans son livre. Ensuite recherche
	d'autres mots connus.

dimanche 15 novembre

cochon	« **Aujourd'hui, tu vas écrire avec des ronds tout seuls**
	ou pas... ? »
	Jeu des catégories.
	On cherche dans les livres les mots connus ;
	je les nomme, elle les trouve.

lundi 16 novembre

Pascal	« **Je vais faire attention, parce que ça commence**
	comme *Panda*. Mais aujourd'hui je lis pas les mots.
	J'ai pas envie. » On ne joue pas.
	Dans la rue, le mot *BUS* est écrit sur le sol. « **Regarde,**
	maman, c'est écrit comme *Suzanne*. »
	On joue à donner des ordres avec des mots en disant
	ceux qui font la liaison qu'elle ne connaît pas encore :
	Adèle (va faire un) bisou (sur le) petit nez (de) papa.
	[La maman n'avait pas encore assisté à la deuxième
	séance du stage, qui indique comment utiliser les mots
	de liaison.]

mardi 17 novembre

cheval	Jeux. Aucune erreur.
oiseau	

mercredi 18 novembre

vache	Légère confusion avec cheval. (À prévoir, mais elle vou-
hérisson	lait absolument ce mot.) Jeux.
canard	Plus aucune confusion le soir.

[Ne jamais hésiter à donner un mot demandé par l'enfant, même s'il comprend des similitudes pouvant prêter à confusion. Cela l'incitera à prendre d'autres repères.]
[46 mots. Deuxième séance du stage « Apprentissage naturel de la lecture ». Composer des phrases avec les mots. Celles-ci sont notées dans la colonne de droite.]

Du jeudi 19 novembre au dimanche 6 décembre

anniversaire
bon
bateau
blanc — *petit ours blanc*
biberon — *Suzanne mange un biberon.*
bravo
brun — *petit ours brun*
ours — On commence à former des phrases avec les étiquettes ;
camion — je les écris ensuite sur des feuilles de classeur.
ciseaux
chérie
gentille
joue
kiki
lion
Marie-Line
Marie-Noëlle
mange
manège — *Adèle joue sur le petit manège.*
merci
mamie
non
œuf

oiseau
poussette
purée — *Adèle mange de la purée.*
patatrac
papillon — *petit papillon blanc*
papy
rouge — *petit tapis rouge*
souriceau — *petit bébé souriceau*
tatie
tapis
taupe
viande — *Adèle mange de la viande.*
vilaine

purée   *Adèle mange de la purée.*
biberon   *Suzanne mange un biberon.*
roule   *Roule, ma cagoule.*

cagoule
caca
capuche   « **D'abord il faut écrire *ca* et après il faut écrire *goule*.** »
Je lui montre comment on écrit *ca* et on cherche dans
les mots (ils sont classés par ordre alphabétique) ceux
qui contiennent *ca* : *cagoule, canard, camion.*
On les écrit dans la maison des *ca* sur une feuille.
« **On peut écrire *caca* aussi et *capuche*.** » Ces mots sont
rajoutés sur la feuille.

balle   *Nelson joue à la balle.*
dort   *Nelson dort dans sa niche.*
Nelson
niche
lampe
livre
mouton
anorak   *Patatrac mon anorak*
râteau   *Adèle joue avec un râteau.*

télévision
Alexandre
Amélie
Christopher
Carmen
Coralie
Émilie
Jules
Joseph
Marie
Mimi   *Mimi joue avec Adèle.*
Mirabelle   *Mirabelle mange du chocolat.*
Jésus
Monsieur
Thibaut
Sophie   Jeu : les mots sont sur le sol. **Adèle donne les mots
où il y a un *o*, un *i*...** en les nommant.
On lit les phrases à chaque fois.
[113 mots]

vendredi 18 décembre

sapin
étoile
boule

dimanche 20 décembre

berger
guirlande
crayon
garde   *Le berger garde son mouton.*

lundi 21 décembre

Noël
Sigrid

du mardi 22 au lundi 28 décembre

parapluie
carotte   **Nous complétons la liste des *ca*.**
camembert   *Parapluie* et *carotte* sont donnés en même temps.
                Adèle doit reconnaître lequel est *carotte*.

bonne-
maman
bon-papa
bonhomme
courses
faire   *Le bonhomme va faire des courses.*
va

Adèle repère des mots qu'elle connaît dans n'importe
quel livre, journal, publicité, étiquette de produit...
**Elle commence à bien savoir les ranger par ordre
alphabétique.**

mardi 29 décembre
Je lui montre des mots, elle me les nomme. Je dis
les mots les plus récents qu'elle connaît moins bien.

Roger
pantoufles
met   *Adèle met des pantoufles.*
papier **Nous faisons la feuille des *pa*.**

cacao   Adèle joue à recopier des mots : *papa, papy, caca*. Son
            papa lui suggère *cacao*. « **Comment écrire *cacao* ?** » « Tu
            sais écrire *caca*. Il manque *o*. Est-ce que tu sais l'écrire ?
            Oui ? Alors tu mets *o* après *caca* et on aura *cacao*. »
            Nous le copions sur un carton, puis sur la feuille des *ca*.

jeudi 31 décembre

Yannick
cheveux
cacahuètes   *Adèle joue au ballon.*
ballon

dimanche 3 janvier

table à
repasser
veut

Adèle veut faire un câlin à maman.
Adèle veut faire un bisou à papa.
Adèle va faire des courses avec papa et maman.
Adèle met son anorak et sa cagoule.

mari   **Nous faisons la feuille des *ma*.**

lundi 4 janvier

beaucoup   *Adèle a beaucoup de mots.*
mots
attraper
tous   *Suzanne veut attraper tous les mots.*
                  Adèle essaie de déchiffrer des mots dans des livres.
                  Exemple : *chatouille* ; elle lit *chat*.

mardi 5 janvier
                  Adèle repère des petits mots *de* sur les panneaux
                  indicateurs.

fait
pipi
pot   *Adèle fait pipi dans le pot.*

mercredi 6 janvier

phrase
feutre
aujourd'hui   *Aujourd'hui Adèle est la reine.*
reine
est
couronne

vendredi 8 janvier

Magali   **« Il faut écrire *i* pour écrire *Magali* parce qu'il y a *li*. »**
                  Je questionne : « Est-ce qu'il y a *i* dans : *pigeon, Sigrid,*
                  télévision, Panda (des mots qu'elle connaît) et dans :
                  lessive, crocodile, pomme de terre, champignon
                  (qu'elle ne connaît pas) ? » Bonne réponse chaque fois ;
                  on poursuit le jeu : « ... et dans *piscine* ? » **« Oui, il y en**
                  a même deux parce qu'il y *pi* et *scine*. »

mercredi **était**	*Mercredi Adèle était la reine.*
Laetitia	*Laetitia joue à l'école.*

dimanche 10 janvier

Benjamin   *Adèle est une vilaine fille.*
Adèle est une gentille fille.
Adèle va à l'école avec maman.

Elle joue à chercher dans les mots qu'elle dit s'il y a un *i* ou un *a* :
« **Dans** *Adèle*, **il y a un** *a*, **il faut le mettre en premier.** »
« **Dans** *Anaïs* **aussi et il y en a deux.** »
« **Dans** *Angéline* **aussi... Non, il y a un** *a* **mais c'est pas** *Agéline*, **c'est** *Angéline*. »

gilet

mercredi 13 janvier

Inès
Alix   *Inès chatouille Alix.*
chatouille

classeur   « *ss* **c'est comme dans** *hérisson*. »
J'écris sur un même carton les différents types d'écriture pour une même lettre : A a (+ cursive). Aujourd'hui : *a* et *i*.

jeudi 14 janvier

facteur   *Le facteur va à la maison.*
Maman fait une phrase avec des mots.

vendredi 15 janvier

voiture   *Adèle va à l'école en voiture avec maman.*
Benjamin met son gilet.
[169 mots. Troisième séance du stage.]

samedi 16 janvier

caisse   « **Maman, tu as écrit** *ca*. **Tu t'es trompée : j'ai dit** *caisse*. »
Je lui explique que *a* et *i* font *ai*.
On cherche parmi les mots ceux où on voit *ai*. **Maison des** *ai*.

baignoire	*Suzanne est dans la baignoire avec Adèle.*
médicaments	« **Il y a un** *i*. **On l'entend.** »
quand	*Bonne-maman garde Suzanne quand maman va à l'école avec Adèle.*
	Dominique est le mari de Joëlle.
	Maman met une phrase dans le classeur.

dimanche 17 janvier

écrit	*Maman écrit les mots avec un crayon feutre.*
Philippe	*Joseph est le bébé de Marie-France et de Philippe.*
	Adèle veut écrire l'histoire du singe...
doit	Pendant la conversation, elle arrête son discours pour
décollé	faire remarquer que dans tel ou tel mot qu'elle vient
recollé	de prononcer il y a un *i* que l'on entend.

lundi 18 janvier

Elle se réveille en pleurant parce que je ne lui ai pas écrit le mot qu'elle avait demandé en prenant son bain.

« **T'as pas écrit** *dans*, **tu as écrit** *de*. »

dentifrice	« **T'as écrit comme** *gentille*. »

[C'est l'occasion rêvée de rechercher les mots avec *an* et *en* et de les mettre dans leurs maisons respectives.]

mardi 19 janvier

brosse	*Adèle fait ses cheveux avec une brosse.*

« **C'est comme** *hérisson*. »

Elle veut faire la maison des *ch*.

mercredi 20 janvier

dents	*Sigrid se brosse les dents avec du dentifrice.*
	Dominique est le mari de Joëlle.
	Joëlle est la maman d'Adèle et de Suzanne.
pond	*L'oiseau pond un œuf.*
propre	
Thérèse	*Patrick est le mari de Thérèse.*
Patrick	« **C'est comme** *Yannick*. »
Nadège	
Christelle	

jeudi 21 janvier

Nous relisons les phrases.

Marie-Rose **bonbon**	*vendredi 22 janvier* (Elle l'a demandé.) Elle doit deviner ce qui est écrit : « **Tu as écrit deux fois bon.** » « Alors qu'est-ce que c'est ? » « *Bonbon !* » *Marie-Rose mange un bonbon.* *Suzanne a décollé le papier du couloir.* *On va le recoller avec de la colle.* Dominique poursuit en disant : « C'est une vilaine coucouque. » Adèle répond : « **On n'a pas** *coucouque* **mais ça commence comme** *couloir* **parce qu'on entend** *cou.* »
Malika **mur** **mûres** **confiture**	*samedi 23 janvier* « **Tu n'as pas écrit** *ca* **comme moi.** » Explication : c'est une nouvelle façon d'écrire *ka*. Elle dit *mur-e*. « **Tu as oublié un** *e*. » Explication : « Non, on dit un *mur*. Si je dis *mûr-e*, c'est le fruit pour faire de la confiture. » « **Il faut l'écrire aussi.** »
cadeau **reçoit** **cou**	*dimanche 24 janvier* Adèle lit *Popi* : elle ne sait plus s'il est écrit *cadeau* ou *paquet*. Je lui donne les deux mots. Elle les reconnaît très bien : « **Celui qui commence par** *ca* **c'est** *cadeau*, **celui qui commence par** *pa* **c'est** *paquet*. » *Adèle reçoit un cadeau et un paquet.* *Adèle fait un bisou sur la joue de maman.* *Adèle fait un bisou dans le cou de maman.* « **T'as écrit** *o* **et** *u* **mais je ne les entends pas, j'entends** *ou*. » Nous recherchons dans la boîte tous les mots contenant *ou*. Nous faisons la maison des *ou*. « **Dans** *patapouf* **et** *poussette*, **j'entends pareil, j'entends** *pou*, **alors tu vas me donner** *pou* **aussi comme dans les cheveux.** » *Thibaud a des poux dans ses cheveux.*
poux **Minou**	« **Ça commence comme** *Mirabelle*... **et aussi** *moustique*, *Marion*... **Tu vas m'écrire aussi** *Marguerite* **et** *Marc* ; **ça commence aussi pareil.** »
Caroline	*lundi 25 janvier* « **Il faut me donner** *Caroline* **pour mettre sur la feuille des** *ca*. »

serviette
Marguerite

mardi 26 janvier

mercredi 27 janvier

Jeanne
Françoise
Régis
essuie
pieds

Marie-Rose essuie ses pieds avec une serviette de bain.
Elle a toujours ses mots à sa disposition, classés par
ordre alphabétique. Elle fait des surprises seule dans
sa chambre : *Adèle joue avec le camion.*
Elle lit *Popi* et s'aperçoit qu'elle sait lire presque toute

toujours
aller

une phrase seule : il manque deux mots. Nous la recom-
posons avec des étiquettes.

Léo veut toujours aller dans la baignoire avec Popi.

jeudi 28 janvier

suce
pouce
taratata

Malika suce son pouce.
Adèle joue avec le lapin.

vendredi 29 janvier

enfilé
chaussettes
toute
seule

Quand elle lit *Popi*, elle suit du doigt les phrases qu'elle
connaît par cœur. Afin de voir si elle en reconnaît les
mots en ne les ayant vus que sur son livre, j'en recopie
un sur des étiquettes (il y a quatre mots nouveaux) :
Malika a enfilé ses chaussettes toute seule.
Elle ne bute que sur *enfilé* (elle lit *confiture*).
[Lorsque l'enfant ne connaît que quelques mots dans
une phrase, il faut l'encourager à d'abord reconnaître
ceux qu'il connaît et ensuite à « deviner » le reste
(d'après le contexte et sa connaissance de certaines
correspondances graphème/phonème).]

lave
savon

« **C'est comme dans** *avec*. »
« **Tu vas l'écrire en commençant comme** *serviette*. »
Adèle lave Suzanne avec du savon.

[Ne pas oublier de « nommer » la lettre que l'enfant
a remarquée.]

cassette
galette
Grégoire
Henriette
Quentin

« **Tu vas écrire comme** *serviette* **et** *chaussettes*. »
« **Pour écrire** *galette* **tu écris** ga **comme** *Magali* **et** *lette*. »

donné
Melchior

samedi 30 janvier
Adèle a donné un cadeau à Melchior.

assise
fauteuil

Sigrid est assise dans le fauteuil.

jumelles
casque

lundi 1ᵉʳ février
Émilie et Coralie sont des jumelles.

Bonne-maman fait de la confiture de mûres.

mardi 2 février
Elle écrit spontanément *maman* au dos de son dessin, sans modèle.

malade
prend

Adèle est malade. Elle prend des médicaments.
Elle lit le mot *malade* sans l'avoir jamais vu auparavant.
« Qu'est-ce que tu as écrit, maman ?... Tu as écrit *ma-la-de*. Tu as écrit *malade* ! »
Elle joue avec les lettres mobiles majuscules et minuscules, et les nomme.

clown

mercredi 3 février
Adèle a fait un clown à l'école.

jeudi 4 février

dimanche
hier
Éloi
ongle
nuit

wagon
surprise

vendredi 5 février
Elle veut un mot qui commence par *w*.
Adèle fait une surprise à papa.
« Ça commence comme *sur*, ben oui parce qu'on entend *sur-prise*. »

promène
nounours
déjà

dimanche 7 février
Suzanne promène le canard.
Le nounours dort déjà.

poupée
carnaval

lundi 8 février
Adèle joue avec sa poupée et sa poussette.
Je lui donne le mot sans le nommer, elle le lit seule.

Christine

mardi 9 février
Adèle est la maman de Christine et de Panda.

« **Tu as écrit** *Chris* **comme** *Christelle,* *ti* **et** *ne* **parce qu'il y a un** *e.* »
Quand elle rencontre *s* **dans un mot qu'elle essaie de déchiffrer, elle dit** *sss...*

mercredi 10 février
Elle relit toutes les phrases de son classeur.
Nous jouons avec le Minitel. Je lui écris de nouvelles phrases avec des mots qu'elle connaît ; elle les lit sans peine. Ensuite elle joue à écrire elle-même : elle tape n'importe quoi en nommant les lettres.

lit *Adèle lit le livre de Pitchounette.*

**Pitchou-
nette**

Dominique est le papa de Suzanne.

jeudi 11 février
bâton *Adèle avait un bâton dans ses yeux cette nuit.*
yeux
avait
cette

vendredi 12 février
shampooing *Adèle lave ses cheveux avec du shampooing.*
Elle est toute propre.
mouillée *Suzanne est mouillée. Maman l'essuie avec une serviette de bain.*

Isabelle « **Tu vas m'écrire** *caniche* **: tu écris** *ca* **et après** *niche.*
caniche **Je sais le lire toute seule !** »

samedi 13 février
Angéline ferme la porte du water.

ferme
porte « **Ça commence comme** *wagon.* »
water **En suivant du doigt le mot** *Angéline* **qu'elle n'avait pas vu depuis longtemps, elle le décompose en syllabes :** *An-gé-li-ne,* sans se tromper.

dessin *Sigrid fait un dessin pour Yannick.*
Elle pointe les deux *s* : « **C'est comme** *hérisson.* »

	dimanche 14 février
cage	*L'ours joue avec un bâton dans sa cage.*
loup	**« Tu dois l'ajouter sur la feuille des *ou*. »**
dos	*Le monsieur porte le loup sur son dos.*
	« Sur mon métallophone, il est écrit do comme ça. »
	(Elle cache le s.)
zèbre	*Le lion mange le zèbre.*
	Elle voulait un mot qui commence par z.
canari	
	lundi 15 février
petite	*Pitchounette joue avec sa petite sœur.*
sœur	
gant	*Papa se lave avec du savon et un gant.*
	mardi 16 février
Bruno	**« C'est comme *Brigitte*. »**
Brigitte	*Amandine chatouille Brigitte.*
Amandine	**« C'est pareil que *Pitchounette*, mais dans *Pitchounette***
pruneaux	**y a deux e. »**
raisins	*Adèle mange du lapin aux pruneaux et aux raisins.*
drap	**« Tu vas me donner deux mots qui commencent pareil**
dragées	**parce qu'on entend la même chose. »**
	mercredi 17 février
Capucine	*Madame Martine est la maman de Capucine*
	et d'Amandine.
madame	**Elle épelle les mots... « Quand c'est un *n* on peut passer**
Martine	**en dessous, quand c'est *u* on ne peut pas. »**
	lundi 22 février
douche	*Adèle prend une douche.*
	mercredi 24 février
rince	*Adèle lave Suzanne avec du savon et un gant,*
	elle la rince avec la douche.
fraises	*Bruno mange une tartine à la confiture de fraises*
déjeuner	*pour son petit déjeuner.*
pyjama	*Panda met son pyjama.*
	jeudi 25 février
salade	*Adèle mange de la salade.*
	vendredi 26 février
sieste	*Suzanne fait la sieste dans son lit*

Elle joue à recopier des mots avec des lettres mobiles et demande l'orthographe de mots nouveaux que nous recopions ensuite sur des étiquettes. Elle donne elle-même quelques indications sur la façon d'écrire le mot.

taper

« **Il faut *p* comme *papa*.** »
Elle écrit de mémoire, sans erreur : *maman, papa, Suzanne,* **et utilise sans problèmes majuscules et minuscules.**

dimanche 28 février

têtu
Maman porte un gros sac gris.
fil
Maman porte un gros éléphant gris.
gros
Elle joue à faire des phrases. Elle recopie des
gris
mots en minuscules ou majuscules. Elle joue aux
sac
correspondances...
caresse

lundi 29 février

cruche
Elle recopie des mots (lettres mobiles) puis cherche ce qu'elle pourrait bien écrire avec les lettres qui restent.

mardi 1ᵉʳ mars

maracas
Elle essaie d'écrire *maracas* toute seule. Elle écrit *ma* puis vient demander si *ra* s'écrit avec un *r* et un *a*. Ensuite elle écrit *ca* parce qu'elle l'entend et vient demander comment on écrit *s*. Réponse : « Quelle est la lettre qui fait *ss*... ? » Elle prend le *s*.

mercredi 2 mars

riz

rit
Vache qui rit.
soleil
Quand il fait soleil, Adèle va se promener.
promener
Elle connaît la valeur de certaines consonnes : *r, s, p*

vendredi 4 mars
Elle réclame une surprise avec des mots qu'elle ne connaît pas, qu'elle va deviner : *Quand il pleut, maman*
pleut
prend son parapluie et Adèle met ses bottes.
bottes
Elle essaie de déchiffrer le mot *pleut* avant d'avoir lu la phrase et dit *p-leu*. **Elle lit le mot *bottes* sans aucune hésitation.**

cache-nez
Encore une surprise avec des mots nouveaux :
manteau
Pour aller à l'école, Amélie met sa cagoule, son cache-nez et son manteau.
Elle déchiffre le mot *cache-nez* et devine *manteau*.

samedi 5 mars
Pas de mots nouveaux. Elle montre ses phrases
à sa tante, le livre que je lui ai fait, *Le Bain de Jules*,
et s'amuse à recopier des mots avec les lettres mobiles.

dimanche 6 mars
Adèle fait une caresse au zèbre.
Elle m'écrit une surprise. Pour la suivante,
elle me réclame le mot *chante* :

chante
Amélie chante patatrac mon anorak.

lundi 7 mars
cache
derrière
Elle réclame deux surprises avec des mots nouveaux
qu'elle devra déchiffrer : *Adèle se cache derrière la porte.*
**Elle lit la phrase très rapidement sans buter sur aucun
mot.**

cuisine
Suzanne mange dans la cuisine.
**Elle fait plusieurs suppositions avant de trouver
cuisine.**

mercredi 9 mars
Père
cheminée
coincé
Le Père Noël est coincé dans la cheminée.
Elle veut écrire la première phrase d'un chant appris
à l'école.
Elle recopie des mots avec les lettres mobiles, écrit
de mémoire *Joëlle* : elle sort d'abord les lettres dont
elle a besoin, puis les ordonne.
Je dois lui écrire une surprise avec un mot nouveau
qu'elle doit trouver toute seule :

jardin
*Quand il fait du soleil, Adèle joue dans le jardin avec
la poussette.*

coccinelle

vendredi 11 mars
lavabo
toilette
oreilles
*Adèle fait la toilette des oreilles de Panda dans
le lavabo.* Elle veut rechercher les mots où l'on voit *oi* :
voiture, reçoit, moi, étoile... coincé et *shampooing.*
« On le voit mais on n'entend pas la même chose. »
On fait la maison des *oin*.

peigne
Maman a une brosse et un peigne pour faire ses cheveux.

dimanche 13 mars
grosse
jouets
En regardant le mot, **elle coupe avec sa main le mot
en deux parties** : *gros-se* (deux mots qu'elle connaît).
Adèle a une grosse caisse pour ses jouets.

peignoir
sort
Papa met son peignoir quand il sort du lit.
Elle essaie de déchiffrer peignoir : *pp...*

verse **eau** **tête** **gobelet**	*Adèle verse de l'eau sur la tête de Suzanne avec son gobelet rouge.*
	mercredi 16 mars
fourchette	*Adèle mange de la salade avec une fourchette.*
	jeudi 17 mars
roue **fortune** **gagne** **bonus**	*Le monsieur de La Roue de la fortune gagne le bonus.*
	dimanche 20 mars
sucette	Elle écrit des mots avec des lettres mobiles. **Elle veut écrire** *sucette*. Elle écrit *suce* (qu'elle connaît)... « **Comment on écrit** *ette* **?** » « Regarde le mot *poussette*. » Elle termine le mot sans hésiter.
lama **ami** **sale** **bol** **raton** **déguise** **Arlequin** **vaisselle**	**Je lui demande d'écrire seule les mots suivants.** Aucun problème, elle prend les lettres dont elle a besoin et compose chaque mot. *Au carnaval, Adèle se déguise en Arlequin.* *Maman doit faire la vaisselle.*
	mardi 22 mars
bavoir **lettre** **hirondelle** **Boucle d'or**	**Elle demande comment « chante » le** *o* **avec un** *n* **derrière.** On cherche d'autres mots où l'on entend la même chose.
	mercredi 23 mars
valise **Élise** **Mila** **situé** **amuse** **bleu**	Elle demande ces deux mots « **parce qu'on entend la même chose que dans** *déguise*. » *Suzanne s'amuse avec le petit éléphant bleu.* « **Il y a un** *u* **derrière le e et ça chante e.** » On va chercher si on a d'autres mots avec un e et un *u*. Nous créons la **maison des** *eu*.
	vendredi 25 mars
soupe	*Papa fait de la soupe pour Adèle.* Elle lit les mots indifféremment en minuscules et majuscules.

samedi 26 mars
Elle compose avec ses mots *bon anniversaire Papy*
et recopie seule cette phrase derrière le dessin
qu'elle a fait pour cette occasion.

dimanche 27 mars
Adèle a fait un dessin pour l'anniversaire de Papy.

déguisement
spaghetti
macaroni
Suzanne met un déguisement chez bonne-maman.
Elle veut compléter la liste des *m* et *pa* avec ces 2 mots.

pâle
hibou
perroquet
Avec des syllabes, elle écrit *pâle*.

lundi 28 mars
soir
Adèle prend un bain le soir quand elle va à l'école.

mardi 29 mars
caillou
Elle trouve ce mot dans un livre et veut le mettre
sur les listes *ca* et *ou*.
Elle copie le mot Henriette avec ses lettres mobiles.
« Si je cache *H* et *r* il reste *en*. »

mercredi 30 mars
Pâques
panier
*Adèle prend un œuf de Pâques en chocolat dans
le réfrigérateur.*
Adèle met un œuf en chocolat dans le panier.

vendredi 1er avril
matin
beurre
Tanguy
aime
bien
Le matin maman met du beurre sur sa tartine.

Ali-Baba aime bien papa et Panda.

Adèle met maman sur le manège.
pâté
font
Elle me dit comment je dois écrire le mot.
Anaïs et Angéline font un pâté.

dimanche 3 avril
poussin
Elle veut écrire *poussin*. Elle regarde *poussette*, écrit
pouss et demande comment elle doit « continuer ».

lundi 4 avril
cloche
coq
poule
**Elle écrit ce mot toute seule, sans l'avoir jamais vu
auparavant.**

	mardi 5 avril
fessée	*Maman donne une fessée à Anaïs quand elle est vilaine.*
	Adèle lit presque seule un nouveau livre, *La Toilette de Ploum.*
	jeudi 7 avril
chameau	**Je lui donne les lettres nécessaires pour** *chameau* **qu'elle ne connaît pas.** Elle commence correctement *cham* et demande de l'aide pour la suite.
chapeau	Ensuite **je lui demande d'écrire** *chapeau.* Pas de problème.
jour	*Je me lave les dents deux fois par jour.*
bonjour	
deux	
fois	
	vendredi 8 avril
chien	*Le chien de bonne-maman, c'est Nelson !*
grand	*Panda et Christine s'amusent bien avec leur grand frère.*
frère	*Suzanne et moi, nous jouons au jardin quand*
jouons	*il fait beau.*
beau	
	samedi 9 avril
acheté	*Adèle a acheté un bouquet pour maman.*
bouquet	**Elle lit seule le mot** *acheté.*
	Elle écrit *bon-papa* et *bonne-maman* de mémoire.
	dimanche 10 avril
vélo	*Adèle a fait du vélo au jardin avec Panda.*
	Elle déchiffre le mot *vélo.*
vite	Elle déchiffre également ce mot.
	mardi 12 avril
sais	**Je lui donne tous les mots du livre de** *Ploum*
flacon	qu'elle n'avait pas encore sur étiquettes. Ils sont répartis
vert	sur le tapis.
chaud	Elle me donne tous ceux qu'elle peut lire et recherche
sent	les autres sur le livre.
trois	**Seuls les mots** *gouttes* **et** *flacon* **lui posent problème**
mouchoir	la première fois.
sec	
suis	
chaque	
coiffer	
gouttes	
très	
voici	
peau	

[404 mots]

mercredi 13 avril

pain
boulangerie
goûter
Adèle achète un petit pain au chocolat à la boulangerie pour son goûter.

jeudi 14 avril

galipette
Adèle fait une galipette dans le jardin avec Panda.
Elle lit le mot seule.

roulette
Il y a des roulettes au petit vélo.
Suzanne est allée se promener au canal avec papa.

canal

léchée
Le chien t'a léchée à la promenade.

vendredi 15 avril

toboggan
monte
échelle
Adèle joue au toboggan avec Marguerite.
Elle monte sur l'échelle.

samedi 16 avril

accompagne
Castorama
Adèle accompagne papa et maman à Castorama.

avant
Avant Adèle était vilaine, maintenant elle est gentille.

maintenant
Elle lit ces deux mots seule, sans contexte.

vieux
banc
Elle connaît la valeur des consonnes *b* et *v*, les sons *ette*, *elle*, *on*, *an*.
[Elle en connaît certainement d'autres, mais sa maman n'en est pas consciente.]

dimanche 17 avril

emmène
Suzanne emmène ses jouets quand elle va
chez bonne-maman.

lundi 18 avril

emporte
bricolage
fête
fleur
Aujourd'hui Adèle va à l'école, elle emporte son classeur.
Adèle a fait du bricolage à l'école.
Elle déchiffre ce mot facilement.
Pour la fête, Adèle se déguise en fleur.

Adèle danse bien à la fête.

danse   **Elle déchiffre** *danse.*

Adèle range une voiture dans son garage.

garage   Je donne les mots manquants du livre *La Promenade*
range   *de Ploum* sur des étiquettes pour lui permettre de lire
courons   ce livre seule.

Elle déchiffre ce mot.

aussi   *Idem.*

joli   Je lui donne *La Promenade de Ploum.*

Quelques problèmes.

jeudi 21 avril

Adèle reçoit Popi *au courrier. Elle l'ouvre et lit pratiquement seule l'histoire de Léo et Popi. Il n'y a que
quelques mots qu'elle ne possède pas :* **elle en déchiffre
quelques-uns et en devine** *d'autres. Elle demande
le reste. Elle connaît certains mots que je ne lui ai
jamais écrits ; elle les a repérés dans des livres.
Je lui donne* Les Joujoux de Ploum. **Adèle le lit aussi
aisément en déchiffrant ou devinant les mots qu'elle
ne connaît pas.** *Elle demande que je lui écrive sur
des étiquettes tous les mots qu'elle n'a pas encore.*

joujoux	cubes	château	ponts	ensemble
préfère	auto	marche	pousse	téléphone
peux	dire	allô	collerette	

[Il n'est plus du tout nécessaire de le faire à ce stade.
Mais l'enfant le demande… et ça ne déplaît pas
à la mère. Ces étiquettes permettent à Adèle d'« écrire »
rapidement elle-même tout ce qu'elle désire.]

samedi 23 avril

faim   *Adèle a faim. Elle veut manger des frites et de la viande.*
manger
frites   *Adèle danse le printemps à la fête.*
printemps

mardi 26 avril

tablier
blanche   *Christine est toute blanche.*

Adèle range son vélo dans le garage.

an   *C'est l'anniversaire de Suzanne, elle a un an.*

mercredi 27 avril

Suzanne a un an.

reçu **carte**	*Elle marche toute seule. Elle a reçu une carte d'anniver-saire de Marie-Noëlle, Marie-Line, mamie et papy.* Elle déchiffre le mot *carte*, devine *reçu*. Quand Suzanne a reçu la carte au courrier, c'est Adèle qui a ouvert l'enveloppe et lu la carte à sa sœur.
gâteau	*Adèle mange un gâteau pour le goûter.*

lundi 3 mai

gagné
sifflet

Adèle a gagné un sifflet à la fête.

mardi 4 mai
Elle veut écrire un chant appris en classe. Je lui donne tous les mots nouveaux sur étiquettes sans les nommer. Elle les prend au fur et à mesure de ses besoins, en essayant de repérer le mot désiré parmi tous les mots nouveaux.

J'ai un gros nez rouge
deux traits sur les yeux
(elle écrit d'abord traits avec très)
un chapeau qui bouge
un air malicieux
deux grandes savates
un grand pantalon
et quand je me gratte
je saute au plafond.

traits
savates
bouge
pantalon
air
gratte
malicieux
saute
grandes
plafond

[466 mots. La mère a arrêté là ce journal.]

LEXIQUE

assonance (du latin *assonare*, « faire écho ») : répétition de la dernière voyelle accentuée (*mouton-biberon, Nadine-coquine*).

code de l'écrit : il comprend essentiellement la connaissance des correspondances grapho-phonémiques (signes-sons) et la compréhension de la fusion consonne-voyelle (*b a-ba*).

cognitif : qui a trait à la faculté de connaître.

conscience phonologique : capacité à manipuler et à réfléchir sur les sons de la parole.

cursive : l'écriture cursive ou anglaise est liée. Les enfants l'appellent l'écriture « attachée ».

déchiffrement : acte par lequel le lecteur utilise sa capacité à décoder.

déduction : partant d'une information vraie, on considère comme vraie celle qui y est contenue. Procéder par déduction implique une connaissance antérieure.

diphtongues : *oi, oin, ien, ille, euil, ail, eil* et dérivés.

écrit fonctionnel : utilisé comme moyen de communiquer et d'agir dans la vie quotidienne (affiches, pancartes, enseignes...).

empan visuel : nombre de lettres se suivant sur une ligne pouvant être lues en une seule fois.

graphème : signe écrit correspondant à un phonème. Ce peut être une simple lettre (*b* par exemple) ou un groupe de lettres (*ou, ph, ain...*).

grapho-phonémiques : correspondances qui existent entre les éléments du langage écrit (les graphèmes, c'est-à-dire les lettres) et les éléments du langage oral (les phonèmes, c'est-à-dire les sons).

induction : dans le raisonnement inductif, on tire une règle à partir de l'observation de faits particuliers, d'exemples. Il faut à l'enfant au moins quelques exemples pour comprendre une règle.

inférer : tirer une conséquence d'un fait.

latéralisé : l'enfant est latéralisé lorsque, pour une tâche donnée, il utilise toujours la même main, le même pied, le même œil...

morphème : unité élémentaire de signification de la langue. Le mot *chaton* contient deux morphèmes, *chat-on*.

morphologie : partie de la grammaire qui étudie la forme des mots et les variations de leurs désinences.

morphologique : qui a trait au morphème.

phonème : unité distinctive du langage oral (son).

phonologique : qui a trait au son.

sémantique : qui a trait au sens, à la signification.

stratégie d'apprentissage : démarche mentale mise en œuvre inconsciemment par un individu dans le but de former ou d'acquérir un concept (Bruner).

BIBLIOGRAPHIE

Aimard Paule, *L'Enfant et la magie du langage*, R. Laffont, 1984.

Andersson Theodore, « The bilingual child's right to read », *Georgetown University Papers on Languages and Linguistics*, n° 12, Georgetown University Press, Washington DC, 1976.

« Toward a theory of preschool biliteracy », *in* James E. Alatis (dir.), *Georgetown University Round Table on Languages and Linguistics*, Georgetown University Press, Washington DC, 1978.

A Guide to Family Reading in two languages – The Preschool Years, Evaluation, Dissemination and Assessment Center, California State University, Los Angeles, 1981.

Ardono-Natal de Santiago Ramonita, *An Investigation of the Effects of Early Literacy on Reading Comprehension from Grades One Through Three*, Ph. D. Dissertation, Georgetown University, Washington DC.

Ashton-Warner Sylvia, *Teacher*, Simon & Schuster, New York, 1963.

Aukerman Robert C., *Approaches to Beginning Reading*, John Wiley & Sons, New York, 1971.

Barth Britt-Mari, *L'Apprentissage de l'abstraction*, Retz, 1987.

Bettelheim Bruno et Zelan Karen, *La Lecture et l'enfant*, R. Laffont, 1983.

Bloom Benjamin S., *Caractéristiques individuelles et apprentissage scolaire*, Nathan, 1979.

Bruner Jerome S. (en collaboration), *A Study of Thinking*, Wiley & Sons, New York, 1956.

The Process of Education, Harvard University Press, 1960.

The Relevance of Education, W. W. Norton, New York, 1971.

Le Développement de l'enfant : savoir faire, savoir dire, PUF, 1983.

Butler Dorothy, *Cushla and her Books*, The Horn Book Inc., Boston, Mass., 1980.

Callaway Webster R., « Early Reading: Natural or Unnatural? », *Orbit 20*, Ontario Institute for Studies in Education, 1973.

Causy Pierre, *Aidez votre enfant en orthographe*, Le Rocher, 1989.

Chall Jeanne S., *Learning to Read: The Great Debate*, McGraw-Hill, New York, 1967.

« The great debate ten years later », *in* L. Resnick et Ph. A. Weaver (dir.), *The Theory and Practice of Early Reading*, vol. I, Lawrence Erlbaum Associates, Hillsdale, NJ, 1979.

Stages of Reading Development, McGraw-Hill, New York, 1983.

Charmeux Éveline, *Apprendre à lire : échec à l'échec*, Éd. Milan, 1987.

Chassagny Claude, *L'Apprentissage de la lecture chez l'enfant*, PUF, 1954.

Chauveau Gérard et Rogavas-Chauveau, « Les processus interactifs dans le savoir-lire de base », *Revue française de pédagogie*, n° 90, 1990.

Christian Chester C. Jr., « Minority language skills before age three », *in* W. F. Mackey et Th. Andersson (dir.), *Bilingualism in Early Childhood*, Newbury House Publishers, Inc., Rowley, Mass., 1977.

Clark Margaret M., *Young Fluent Readers: What Can They Teach Us?*, Heinemann Educational Books, Londres, 1976.

Cohen David, *Piaget : une remise en question*, Retz, 1985.

Cohen Rachel, *L'Apprentissage précoce de la lecture*, PUF, 1977.

Plaidoyer pour les apprentissages précoces, PUF, 1982.

Découverte et apprentissage du langage écrit avant 6 ans (en collaboration avec Hélène Gilabert), PUF, 1986.

Les jeunes enfants, la découverte de l'écrit et l'ordinateur (en collaboration), PUF,1987.

« Que sont-ils devenus ? Les effets des apprentissages précoces », *Revue française de pédagogie*, n° 88, INRP, Paris, 1989.

Cohen-Solal Julien, *Les Deux Premières années de la vie*, R. Laffont, 1982.

Cougnenc Jeanine, *Mon premier apprentissage de la lecture*, Retz, 1984.

Delogne Roger, *Apprendre à lire avant 6 ans*, Éditions de l'Université, Bruxelles, 1973.

Deshays Élisabeth, *L'Enfant bilingue*, R. Laffont, 1990.

Dodson Fitzhugh, *Tout se joue avant 6 ans*, R. Laffont, 1972.

Doman Glenn, *Apprenez à lire à votre bébé*, Plon, 1965.

Downing John et Fijalkow Jacques, *Lire et raisonnement*, Privat, 1984.

Dumont D., *Le Geste d'écriture. Méthode d'apprentissage*, cycle 1, cycle 2, Hatier, 2001

Durkin Dolores, « Children who learn to read before grade one », *Reading Teacher* 14, 1961.
« Children who read before grade one: a second study », *Elementary School Journal* 64, 1963.
Children who Read Early: Two Longitudinal Studies, Columbia University Teachers College Press, New York, 1966.
Teaching Young Children to Read, Allyn et Bacon, Boston, 1972.
« Facts about pre-first grade Reading », *in* Lloyd O. Ollilla (dir.), *The Kindergarten Child and Reading*, International Reading Association, Newark, Delaware, 1977.

Ecalle J. et Magnan A., *L'Apprentissage de la lecture : fonctionnement et développement cognitifs*, Armand Colin, 2002.

Ellis Andrew W., *Lecture, écriture et dyslexie*, Delachaux et Niestlé, 1989.

Emery Donald G., *Teach Your Preschooler to Read*, Simon & Schuster, New York, 1975.

Fayol M., Pacton S. et Perruchet P., « L'apprentissage de l'orthographe lexicale : le cas des régularités », *Langue française*, n° 124, 1999, p. 23-39.

Ferreiro Emilia et Teberosky Ana, *Literacy Before Schooling*, Heinemann Educational Books, Londres, 1982.
Lire, écrire à l'école : comment les enfants s'y apprennent-ils ?, CRDP Lyon, 1988.

Fletcher-Flinn C. M. et Thompson G. B., « Learning to read with under-developed phonemic awareness but lexicalized recoding. A case study of a 3 year old », *Cognition* 74, 2000, p. 177-208.

Fowler William, « Teaching a two-year old to read », *Genetic Psychology Monographs* 66, 1962.

Fries Charles, *Linguistics and Reading*, Holt, Rinehart & Winston, New York, 1963.

Garanderie Antoine de La, *Les Profils pédagogiques*, Le Centurion, 1981.

Gesell Arnold L., *The Mental Growth of the Preschool Child*, Macmillan Co., New York, 1925.

Gilabert Hélène (en collaboration avec Rachel Cohen), *Découverte et apprentissage du langage écrit avant 6 ans*, PUF, 1986.

Guillaume Christian, *J'aide mon enfant à apprendre à lire*, Retz, 1988.

Hanson Irma, *An Inquiry into How three Preschool Children Acquired Literacy in two Languages, English and Spanish*, Doctoral Dissertation, Georgetown University, 1980.

Hughes Felicity, *Reading and Writing Before School*, St Martin's Press, New York, 1971.

Hunt J., *Intelligence and Experience*, The Ronald Press Company, New York, 1961.

Lado Robert, « Early reading by a child with severe hearing loss as an aid to linguistic and intellectual deve1opment », *Georgetown University Papers on Languages and Linguistics*, n° 13 : *Early Reading*, Georgetown University Press, Washington DC, 1976.
« Review of Sjjderbergh R."Reading in early childhood" [1977], *System*, vol. VIII., Pergamon Press Ltd.,Grande-Bretagne, 1980.
« The learning-assimilation-facility (IAF) hypothesis in preschool-literacy », *The Reading Teacher* 38, 1985.

Lado Robert, D'Emilio T. et Hanson L., « Biliteracy for bilingual children by grade one: the SED Center Preschool reading project », *in* James E. Alatis (dir.), *Georgetown University Round Table on Languages and Linguistics*, Georgetown University Press, Washington DC, 1980.

Lambrichs Louise, *La Dyslexie en question*, R. Laffont, 1989.

Lee Ok Ro, *Early Bilingual Reading as an Aid to Bilingual and Bicultural Adjustment for a Second Generation Korean Child in the US.*, Ph. D. Dissertation, Georgetown University, 1977.

Le Huche François, *Les Apprentissages de la communication : parler, lire, écrire*, Ramsay, 1990.

Lentin Laurence, *Du parler au lire*, ESF, 1983.

Loupan Cécile, *Croire en son enfant*, R. Laffont, 1987.

Malson Lucien, *Les Enfants sauvages*, 10/18.

Milcent Catherine, *L'Autisme au quotidien*, Odile Jacob, 1991.

Minó-Garces Fernando, *Early Reading Acquisition: Six Psycholinguistic CaseStudies*, Georgetown University Press, Washington DC.

Montagner Hubert, *L'Enfant et la communication*, Stock/Laurence Pernoud, 1978.

Montessori Maria, *L'Enfant*, Desclée De Brouwer.

L'Esprit absorbant de l'enfant, Desclée De Brouwer.

La Pédagogie scientifique, Desclée De Brouwer.

Past Alvin W., *Preschool Reading in Two Languages as a Factor in Bilingualism*, Ph. D. Dissertation, The University of Texas at Austin, 1976.

Past Kay E. C., *Reading in Two Languages from Age Two. A Case Study*, MA Thesis, The University of Texas at Austin, 1975.

Piaget Jean, *La Psychologie de l'intelligence*, Armand Colin, 1967.

Psychologie et pédagogie, Denoël, 1969.

Pines Maya, *De la naissance à 6 ans : une révolution dans les apprentissages*, Delagrave, 1969.

Pourtois Jean-Pierre, *Comment les mères enseignent à leur enfant de 5 à 6 ans*, PUF, 1979.

Racle Gabriel, *La Pédagogie interactive*, Retz, 1983.

Reed Michael, *A Psycholinguistic Analysis of the Compatibility Between Reading Readiness and Early Reading*, Ph. D. Dissertation, Georgetown University,Washington DC, 1985.

Richaudeau François, *La Lisibilité*, Retz, 1967.

La Lecture rapide, Retz, 1982.

Recherches actuelles sur la lisibilité, Retz, 1984.

Rogers Carl R., *Liberté pour apprendre*, Dunod, 1972.

Saféris Fanny, *La Suggestopédie*, R. Laffont, 1986.

Sakamoto Takahiko, « Preschool reading in Japan », *The Reading Teacher* 29, 1975.

Saunders George, *Enfants bilingues*, Retz, 1987.

Saussure Ferdinand de, *Cours de linguistique générale*, Payot.

Smethurst Wood, *Teaching Young Children to Read at Home*, McGraw-Hill, New York, 1975.

Smith Frank, *Comment les enfants apprennent à lire*, Retz, 1973.

Devenir lecteur, Armand Colin, 1986.

Söderberth Ragnhild, « Reading and stages of language acquisition », *in* W. C. McCormack et S. A. Wurms (dir.), *Language and Man: Anthropological Issues*, Mouton, 1975.

« Learning to read: Breaking the code or attaining functional literacy? », *Georgetown University Papers on Language and Linguistics*, n° 13 : *Early Reading*, Georgetown University Press, Washington DC, 1976.

« Learning to read between two and five: Some observations on normal hearing and deaf children », *Georgetown University Papers on Language and Linguistics*, n° 13 : *Early Reading*, Georgetown University Press, Washington DC, 1976.

Reading in Early Childhood, a Linguistic Study of a Preschool Child's Gradual Acquisition of Reading Ability, Georgetown University Press, Washington DC, 1977.

« Teaching deaf preschool children to read in Sweden », *in* Ph. Dale et D. Ingram (dir.), *Child Language: An International Perspective*, University Park Press, Baltimore, 1981.

« Early reading as language acquisition », *System*, vol. IX, n° 3, 1982.

« La lecture précoce chez les enfants sourds », *Perspective*, vol. XV, n° 1, Unesco, 1985.

« Acquisition of spoken and written language in early childhood », *in* I. Kurcz, G. W Shugar et J. H. Danks (dir.), *Knowledge and Language*, Amsterdam, 1986.

Söderbergh R. et Cohen R., *Apprendre à lire avant de savoir parler*, Albin Michel Éducation, 1999.

Sprenger-Charolles Liliane, *in Pratiques*, n° 52, 1986.

in Revue française de pédagogie, n° 87, 1986.

in L'Apprenti lecteur, Delachaux et Niestlé, 1989.

Steinberg Danny et Milio T., « Apprendre à lire avant de savoir parler », *Communication et Languages*, n° 30, 1976.

Stevens G. L. et Orem R. C., *The Case for Early Reading*, Warren H. Green Inc., St Louis, Missouri, 1968.

Suzuki Shigetada et Notoya Mazako, « L'enseignement du langage écritaux enfants sourds d'âge préscolaire », *Communication et Languages*, n° 69, 1986.

Suzuki Shinichi, *Nurtured by Love*, Exposition Press, Smithtown, New York,1983.

Teale William H., *Early Reading: An Annotated Bibliography*, TheInternational Reading Association, Newark, Delaware, 1980.

Titone Renzo, *Early Reading: The Italian Uiby*, Armando, Rome, 1989.

Toresse Bernard, *Comment apprendre à lire aux enfants de 6-7 ans*, Hachette, 1988.

Torrey Jane W., « Learning to read without a teacher: A case study », *Elementary English* 46, 1969.

Toulemonde Jeannette, *Place à l'enfant*, Encre, 1985.

Vellutino Frank R. et Scanlon Donna M., « Les effets des choix pédagogiques sur la capacité à identifier des mots », *in L'Apprenti lecteur*, Delachaux et Niestlé, 1989.

Vygotski Lev S., *Pensée et langage*, Éditions sociales, 1985.

White Burton, *Les Trois Premières Années de la vie*, Buchet-Chastel, 1978.

Williams Linda, *Deux cerveaux pour apprendre*, Éditions d'Organisation, 1986.

PÉRIODIQUES

Communication et langages, Retz.

Perspectives, n° 53, revue trimestrielle de l'éducation, Unesco, vol. XV, n° 1, 1985.

Revue française de pédagogie.

OUVRAGES COLLECTIFS

L'Apprenti lecteur, Laurence Rieben et Charles Perfetti, Delachaux et Niestlé, 1989.

Early Reading, n° 13 de la revue *Georgetown University Papers on Languages and Linguistics*, Robert Lado et Theodore Andersson (dir.), Georgetown University Press, Washington DC, 1976.

Les Entretiens Nathan, actes I, Nathan, 1991.

La Lecture, Alain Bentolila, Brigitte Chevalier et Danièle Falcoz-Vigne, Nathan, 1991.

REMERCIEMENTS

Je tiens à remercier :
Geneviève Balleyguier, psychologue, professeur des universités,
Rachel Cohen, docteur d'État en sciences de l'éducation,
le Dr Maurice Titran, pédiatre,
pour avoir encouragé et soutenu Le bonheur de lire depuis sa fondation ;

le Dr Jean Ratel, pédiatre, pour sa chaleureuse approbation ; le Pr Theodore Andersson, University of Texas, Austin (États-Unis), pour son amitié et ses encouragements ; le Pr Ragnhild Söderbergh, de l'université de Lund (Suède), pour son amitié et les réponses détaillées qu'elle a bien voulu donner à mes questions ; le Dr Carol Evans (États-Unis) et le Dr Caridad Inda (Mexique) pour leur amitié et leur aide précieuse ;

Ruth S. Tyler pour sa généreuse hospitalité lors de mes recherches à la bibliothèque universitaire de Syracuse, New York ;

tout particulièrement Jeanette Toulemonde, fondatrice du mensuel L'Enfant et la Vie, très ouverte à tout ce qui peut améliorer la vie de l'enfant dans le respect de son fonctionnement naturel, qui m'a donné la possibilité de suivre tant de familles dans toute la France entre 1985 et 1992 ;

toutes les familles que j'ai pu suivre très régulièrement par téléphone et Internet, et particulièrement Natacha Golf pour le « journal de Lucas », qui m'a permis de comprendre encore plus finement ce qui se passe dans la tête des tout jeunes enfants ;

Béatrice Machefel, directrice d'école maternelle, pour son inlassable persévérance à diffuser cette démarche auprès de ses collègues et à en faire remonter les bienfaits auprès de sa hiérarchie ;

René Angel, pour sa généreuse obstination à barrer la route à l'illettrisme (http://pagesperso-orange.fr/range/) ;

Odile Puget et Laurence Quénet, pour leurs commentaires sur le manuscrit.